# FRISSONS D'OUTRE-TOMBE

LES MYSTÈRES DE HARPER CONNELLY - 3

# Du même auteur

## LES MYSTÈRES DE HARPER CONNELLY

1. Murmures d'outre-tombe
2. Pièges d'outre-tombe
3. Frissons d'outre-tombe
4. Secrets d'outre-tombe *(à paraître)*


## SÉRIE SOOKIE STACKHOUSE
### LA COMMUNAUTÉ DU SUD

1. Quand le danger rôde
2. Disparition à Dallas
3. Mortel corps à corps
4. Les sorcières de Shreveport
5. La morsure de la panthère
6. La reine des vampires
7. La conspiration
8. La mort et bien pire
9. Bel et bien mort
10. Une mort certaine

Interlude mortel (nouvelles)

# CHARLAINE HARRIS

# FRISSONS D'OUTRE-TOMBE

## LES MYSTÈRES DE HARPER CONNELLY - 3

Traduit de l'anglais (États-Unis)
par Sophie Dalle

Flammarion
Québec

Catalogage avant publication de Bibliothèque et Archives nationales
du Québec et Bibliothèque et Archives Canada

Harris, Charlaine
       Frissons d'outre-tombe
       (Les mystères de Harper Connelly; 3)
       Traduction de: An ice cold grave.
       ISBN 978-2-89077-414-8
       I. Dalle, Sophie. II. Titre.
       III. Collection: Harris, Charlaine. Mystères de Harper Connelly; 3.
PS3558.A77I2314 2011       813'.54       C2011-941418-X

COUVERTURE
Photo: © Maude Chauvin, 2011
Conception graphique: Annick Désormeaux

INTÉRIEUR
Composition: Nord Compo

Titre original: AN ICE COLD GRAVE
The Berkley Publishing Group,
une filiale de Penguin Group (USA) Inc.
© Charlaine Harris Inc., 2007
Traduction en langue française: © Éditions J'ai lu, 2011
Édition canadienne: © Flammarion Québec, 2011

Extrait de Secrets d'outre-tombe
© Charlaine Harris Inc., 2009
© Éditions J'ai lu, 2011 (pour la traduction française)
© Flammarion Québec, 2011 (pour l'édition canadienne)

Imprimé au Canada
www.flammarion.qc.ca

*Je souhaite dédier ce livre à certaines personnes qui me rendent toujours heureuse quand je les vois : Susan McBride, Julie Wray Herman, Dean James, Daniel Hale, Treva Miller, Steve Brewer, Dan Hale et Elaine Viets. J'ai d'autres ouvrages à venir pour me rattraper auprès de ceux que j'ai oubliés !*

# Remerciements

Mes sincères remerciements à Margaret Maron qui m'a présentée à Daniel E. Bailey, chef adjoint du shérif en Caroline du Nord. Il a passé beaucoup de temps à répondre à mes questions. J'espère n'avoir pas commis de grosses gaffes. Molly Weston, une femme des plus mystérieuses, m'a aidée en ce qui concerne les questions climatiques et le Dr D.P. Lyle m'a, une fois de plus, éclairée pour tout ce qui concerne les questions médicales. Mon amie L.P. Kelner m'a donné d'excellentes idées pour améliorer cet ouvrage.

# Chapitre 1

Le littoral atlantique est bourré de morts. Quand mon travail me conduit dans cette partie des États-Unis, pendant toute la durée de mon séjour, j'ai la sensation d'avoir dans le cerveau une nuée d'oiseaux qui battent des ailes sans jamais s'arrêter. Cela devient vite fatigant.

Mais, j'avais des contrats dans l'Est, je traversais donc la Caroline du Sud en voiture, mon plus ou moins frère Tolliver dans le siège passager. Il s'était assoupi, aussi je l'observai à la dérobée en souriant parce qu'il ne pouvait pas me voir. Tolliver a les cheveux aussi noirs que les miens et, si nous ne passions pas une bonne partie de notre temps dehors, nous serions aussi pâles l'un que l'autre ; nous sommes tous deux plutôt minces. Hormis ces détails, nous sommes très différents. Le père de Tolliver n'a pas voulu l'emmener chez le dermatologue dans son adolescence. Du coup, ses joues sont grêlées par l'acné. Ses yeux sont plus foncés que les miens et il a les pommettes saillantes.

Le mariage de ma mère avec son père est l'exemple typique de deux yuppies qui se rejoignent dans la spirale infernale de la déchéance. Aujourd'hui, ma mère est décédée. Quant au père de Tolliver, il est quelque part, mais Dieu seul sait où. Il est sorti de prison il y a un an. Le mien purge encore une peine pour fraude fiscale et autres délits de col blanc. Nous ne parlons jamais d'eux.

La Caroline du Sud est un État magnifique au printemps et au début de l'été. Malheureusement, nous étions à la fin d'un mois de janvier particulièrement désagréable. Le sol était froid, gris et couvert de boue après la fonte des dernières neiges et de nouvelles averses étaient prévues dans les jours à venir. Je conduisais très prudemment car la circulation était dense et la visibilité moyenne. Nous arrivions de Charleston où le temps était tiède et ensoleillé. Un couple, ayant décidé que leur maison était inhabitable à cause de la présence de fantômes, m'avait appelée à l'aide afin que je décèle d'éventuels cadavres sous les parquets.

La réponse était claire : non. En revanche, il y en avait dans le fond du jardin. Trois en tout, uniquement des bébés. J'ignorais ce que cela signifiait. Ils étaient morts si vite après leur naissance que j'avais été incapable de déterminer la cause de leur décès qui en général m'apparaît pourtant sans difficulté. Cependant, les propriétaires de Charleston étaient enchantés du résultat, d'autant qu'un archéologue était venu récupérer les maigres restes des corps minuscules. Le sujet animerait leurs conversations mondaines pendant la décennie à venir. Ils m'avaient remis mon chèque sans l'ombre d'une hésitation.

Ce n'est pas toujours le cas.

— Où veux-tu t'arrêter pour manger ? me demanda Tolliver.

Je lui jetai un coup d'œil. Il n'était pas complètement réveillé. Il me tapota l'épaule.

— Tu es fatiguée ?

— Ça va. Nous sommes à une petite cinquantaine de kilomètres de Spartanburg. Trop loin pour toi ?

— Parfait. *Cracker Barrel* ?

— Tu as envie de légumes.

— Oui. Tu sais ce qui me plairait par-dessus tout, si nous achetons enfin cette maison dont nous parlons sans cesse ? Faire la cuisine.

— Je reconnais qu'on ne se débrouille pas trop mal quand on est chez nous.

Nous avons acheté plusieurs livres de recettes dans des librairies d'occasion. Nous choisissons les plus simples.

Nous envisagions sérieusement de nous débarrasser de notre appartement à St. Louis. Nous sommes si souvent sur la route que la dépense nous semble de plus en plus superflue. Mais nous avons besoin d'une adresse fixe, d'un endroit où recevoir notre courrier et d'où téléphoner à nos proches quand nous ne parcourons pas le pays. Nous mettons de l'argent de côté pour acquérir un pavillon, sans doute du côté de Dallas afin de nous rapprocher de notre tante et de son mari. Ils ont la garde de nos deux petites demi-sœurs.

Nous aperçûmes enfin l'enseigne du restaurant que nous cherchions et je quittai l'autoroute. Il était environ quatorze heures mais le parking était plein. Je me retins de grimacer. Tolliver adore la chaîne *Cracker Barrel*. Ça ne le gêne pas de devoir traverser la boutique de souvenirs pour accéder à la salle. Une fois garés (à plusieurs centaines de mètres), nous bravâmes la gadoue jusqu'à la véranda traditionnellement meublée de rocking-chairs.

Les toilettes étaient propres, la salle bien chauffée. On nous attribua une table presque immédiatement et une très jeune femme aux cheveux longs et raides comme la queue d'un cheval nous annonça qu'elle était enchantée de nous servir. Ou plutôt, de servir Tolliver. Serveuses, barmaids, femmes de chambre,

13

elles tombent toutes sous le charme de Tolliver. Nous commandâmes et alors que je tentais de me détendre, Tolliver pensait déjà à notre mission suivante.

— Une invitation des forces de l'ordre, me prévint-il.

Sous-entendu : moins de fric mais plus de publicité. La recommandation d'un professionnel est toujours un plus. Environ la moitié de nos affaires nous sont refilées par des détectives privés, shérifs et autres membres des autorités. Ils ne croient pas forcément en mes pouvoirs mais ils entendent parler de moi par le bouche-à-oreille et, sous la pression, sollicitent mes services. Peut-être pour se débarrasser d'un personnage influent de la commune. Peut-être parce qu'ils n'ont pas d'autre solution, ou encore parce qu'ils ont épuisé toutes les pistes dans leur quête d'une personne disparue.

— Que veulent-ils que je fasse ? Cimetière ou recherche ?

— Recherche.

À moi de trouver le corps, donc. Depuis que la foudre m'a frappée à travers la fenêtre de notre taudis de Texarkana quand j'avais quinze ans, j'ai un don pour localiser les cadavres. Si le corps est dans une tombe, les gens qui m'embauchent veulent connaître la cause du décès. Si le corps gît dans un lieu inconnu, je peux le traquer dans un périmètre limité. Par chance, plus la dépouille est ancienne, moins le bourdonnement qu'il émet est intense, sans quoi je serais totalement cinglée, depuis le temps. Pensez-y. Cadavres d'hommes des cavernes, d'Indiens, de colons, de défunts plus récents – ça fait beaucoup de morts. Or tous me font savoir où leurs restes terrestres sont ensevelis.

Je me suis demandé si cela vaudrait le coup d'envoyer ma petite brochure aux archéologues et comment Tolliver s'y prendrait pour collecter les informations indispensables à un tel mailing. Tolliver est nettement plus habile que moi avec notre ordinateur portable. Pour une raison simple : ça l'intéresse.

N'allez pas croire qu'il est à ma botte.

Il est le premier à qui j'ai confié mon secret après m'être remise des effets physiques produits par le coup de foudre. Il ne m'a pas crue au début mais il a eu la gentillesse de tester mes pouvoirs. Depuis que nous en avons cerné les possibilités, il croit en moi avec ferveur. À la fin de mes études au lycée, nous avions tout planifié. Nous avons commencé par voyager uniquement les week-ends. Tolliver devait cumuler cette activité avec un emploi salarié et j'en profitais pour gagner un peu d'argent de poche dans la restauration rapide. Au bout de deux ans, il a pu se consacrer entièrement à notre projet. Depuis, nous enchaînons les missions.

Chez *Cracker Barrel*, il y a toujours un jeu de solitaire sur la table. Tolliver était en train d'y jouer, l'air sérieux et calme. Il ne semblait pas souffrir – il ne semble jamais souffrir. Je sais qu'il passe un moment difficile depuis qu'il a découvert que sa dernière conquête avait une idée derrière la tête ; on a beau apprécier modérément une personne, voire ne pas la trouver attirante, c'est un coup dur. Tolliver parle rarement de Memphis mais cet épisode nous a marqués tous les deux. Perdue dans mes pensées, je regardai ses longs doigts se déplacer sur le plateau. Les choses n'étaient pas faciles entre nous ces temps-ci. Et c'était entièrement de ma faute.

La serveuse vint nous proposer de renouveler nos boissons en adressant un sourire plus éclatant à Tolliver qu'à moi.

— Où allez-vous ?

— Dans la région d'Asheville, répondit Tolliver.

— Superbe ! approuva-t-elle.

Il eut un sourire absent et se concentra de nouveau sur son jeu. Elle haussa les épaules et s'éclipsa.

— Tu me transperces du regard, marmonna-t-il sans lever les yeux.

— Tu es dans ma ligne de mire, ripostai-je en m'accoudant.

Où diable étaient nos plats ? Je tripotai le rond de ma serviette en papier.

— Ta jambe te fait mal ?

Depuis l'accident, j'ai des douleurs ici et là, notamment à la jambe droite.

— Un peu.

— Tu veux que je te la masse, ce soir ?

— Non !

Cette fois, il se redressa.

Bien sûr que je le souhaitais. Seulement, j'avais peur de commettre un faux pas – un faux pas pour nous.

— Je pense que je me contenterai d'une bouillotte, murmurai-je.

Je m'excusai et me réfugiai dans les toilettes où se bousculaient une mère et ses trois filles – à moins que ce ne soit sa fille et deux copines. Elles étaient très jeunes et très bruyantes. Dès que je le pus, je m'enfermai dans une cabine. Je restai là un moment, la tête contre le mur. La honte et la terreur – à parts égales – m'étouffaient et l'espace d'une seconde, j'eus du mal à respirer. Puis j'exhalai profondément.

— Maman ! Je crois que la dame pleure !

— Chut ! Laissons-la tranquille.

Enfin, ce fut le silence.

J'avais envie d'aller aux toilettes, ma jambe me faisait souffrir. Je baissai mon jean et frottai ma cuisse décorée d'une sorte de toile d'araignée rouge. J'avais le côté droit face à la fenêtre quand j'ai été foudroyée.

16

Lorsque je rejoignis Tolliver, on nous avait servi notre repas. Je mangeai sans un mot. De retour à la voiture, Tolliver prit place derrière le volant. C'était à son tour de conduire. Je lui suggérai de mettre un livre enregistré. Je venais d'en acheter trois d'occasion. Des œuvres complètes, évidemment. Je sélectionnai un roman de Dana Stabenow, me calai dans mon siège et me repliai sur moi-même.

Tolliver avait réservé une chambre dans un motel de Doraville. À la réception, je compris qu'il s'attendait, vu mon attitude, à ce que j'en réclame une pour moi.

Nous partageons souvent la même. Au début, c'était par souci d'économie. À présent, soit nous avons envie d'un peu d'intimité, soit nous nous en fichons. Ça n'a jamais posé de problème. Je n'avais aucune envie que cela en devienne un, décidai-je tout à coup. Combien de temps tiendrions-nous avant que Tolliver n'explose en exigeant une explication que je ne pouvais pas lui fournir ? Tant pis pour moi, je n'aurais qu'à endurer un silence inconfortable. Je commençais à m'y habituer.

Nous empoignâmes nos bagages. Je prends toujours le lit le plus proche de la salle de bains, Tolliver, celui côté fenêtre. Le décor était une variante de ceux que nous découvrons jour après jour : dessus-de-lit en polyester, chaises et bureaux de pacotille, télévision, salle de bains beige. Tolliver décrocha son portable tandis que je m'allongeais et branchais le poste de télévision sur CNN. La conversation téléphonique fut brève.

— Elle veut que nous passions à huit heures demain matin, annonça-t-il en sortant un crayon de son sac et en ouvrant le journal du matin à la page des mots croisés.

Tôt ou tard, il finira par craquer et se mettra au sudoku mais pour l'heure, il est fidèle à ses mots croisés.

— Dans ce cas, je devrais faire mon footing maintenant.

Je remarquai qu'il s'était figé, la main au-dessus de sa grille. Nous courons souvent ensemble bien qu'en général Tolliver m'abandonne en fin de parcours pour se donner à fond.

— Il fera trop froid demain matin.

— Ça ne t'ennuie pas d'y aller toute seule ?

— Non, non.

Je lui tournai le dos pour enfiler ma tenue mais ça, c'était normal. Sans être des maniaques de la pudeur, nous maintenons nos distances en ce domaine. Après tout, nous sommes frère et sœur.

*Pas du tout*, protesta mon second moi-même. *Vous n'êtes pas liés par le sang.*

Je fourrai la clé dans ma poche et sortis dans l'air glacial dissiper mon humeur chagrine.

# Chapitre 2

— Je suis le shérif du comté de Knott.

Penchée sur le comptoir de réception, une jeune femme élancée bavardait avec le planton lors de notre arrivée. Je ne comprends pas comment les flics supportent le poids d'un tel attirail autour de la taille, et celle-ci arborait la collection intégrale. J'évite le plus souvent de m'attarder suffisamment pour identifier toutes les pièces. J'ai eu une brève relation avec l'adjoint d'un shérif et j'aurais pu en profiter pour étudier son équipement. Sans doute étais-je davantage intéressée par son physique.

Comme elle se redressait, je constatai à quel point elle était grande. Âgée d'une cinquantaine d'années, elle avait des cheveux châtain foncé striés de fils gris et des rides autour des yeux et de la bouche. Elle n'avait pas l'air du genre à croire en mes pouvoirs, pourtant c'était elle qui nous avait adressé un courrier électronique.

— Bonjour, je suis Harper Connelly. Voici mon frère, Tolliver Lang.

Apparemment, nous ne correspondions pas non plus à l'image qu'elle s'était faite de nous. Elle m'examina de bas en haut.

— Vous n'avez pas l'air d'une frappadingue.

— Et vous, vous n'avez pas l'air d'un stéréotype plein de préjugés, ripostai-je.

Le planton retint sa respiration. Aïe !

Tolliver était juste derrière moi, légèrement sur ma gauche, impassible.

— Venez dans mon bureau. Nous allons discuter. Je m'appelle Sandra Rockwell et je suis shérif depuis un an.

En Caroline du Nord, les shérifs sont élus. Je ne connaissais pas la durée de son mandat mais si elle n'occupait ce poste que depuis une année, elle avait du temps devant elle. Elle n'était donc pas en campagne.

De taille modeste, son bureau était orné de portraits du gouverneur, d'un drapeau de l'État, d'un autre des États-Unis et de diplômes encadrés. Seul objet personnel, un de ces cubes transparents dans lesquels on peut insérer des photographies. Le sien était garni de clichés de deux garçons aussi bruns qu'elle. L'un d'entre eux, adulte, avait une femme et un enfant. Sympa. L'autre avait un chien de chasse.

— Voulez-vous du café ? proposa-t-elle en s'asseyant sur le fauteuil pivotant derrière l'horrible table de travail en métal.

Je consultai Tolliver du regard et nous refusâmes d'un signe de la tête.

— Bien ! enchaîna-t-elle en posant les mains à plat devant elle. J'ai eu vos coordonnées par l'intermédiaire d'un inspecteur de Memphis. Son nom est Young.

Je souris.

— Vous vous souvenez d'elle. Elle a pour partenaire un certain Lacey ?

J'opinai.

— Elle m'a semblé avoir la tête sur les épaules. Elle n'a rien d'une écervelée. Elle a clos un nombre impressionnant d'enquêtes et jouit d'une excellente réputation. C'est la seule raison pour laquelle j'ai sollicité votre aide. Est-ce clair ?

— Oui.

Elle parut vaguement gênée.

— Loin de moi l'intention de vous offenser. Cependant, sachez que je ne vous aurais jamais contactée si vous n'aviez pas bénéficié d'un taux de réussite considérable. Je ne suis pas de ceux qui écoutent ce médium – John Edward. Je déteste qu'on me lise les lignes de la main, je fuis les séances de spiritisme, je ne consulte jamais le moindre horoscope.

— Je vous entends, répliquai-je d'un ton sec.

Tolliver sourit à son tour.

— Nous comprenons que vous nourrissiez une certaine méfiance à notre égard.

— En un mot, oui, avoua-t-elle.

— J'en déduis que vous frisez le désespoir, intervins-je.

Elle parut agacée.

— En effet, convint-elle parce qu'elle n'avait pas le choix. Nous frisons le désespoir.

— Je ne vais pas me dérober. Je veux simplement savoir contre quoi je me bats.

Ma franchise sembla la rassurer.

— D'accord. Alors je m'explique.

Elle reprit son souffle.

— Depuis cinq ans, des garçons disparaissent régulièrement dans ce comté. Six à ce jour. Par « garçons », je veux dire des adolescents âgés de quatorze à dix-huit ans. Certes, les jeunes de cette tranche d'âge sont susceptibles de fuguer, sujets au suicide ou aux accidents de voiture mortels. Si nous les avions retrouvés ou si nous avions su qu'ils s'étaient enfuis, nous nous en serions contentés, si tant est que l'on puisse s'en contenter.

Nous acquiesçâmes en chœur.

— Mais en ce qui concerne ces enfants... personne ne croit à la thèse de la fugue. En cette saison, un chasseur, un ornithologue ou un randonneur aurait fini par découvrir un cadavre ou deux s'ils s'étaient tués ou avaient été victimes d'une tragique mésaventure dans les bois.

— Vous en déduisez donc qu'ils sont enterrés quelque part.

— Exactement. Je suis sûre qu'ils sont là, dans les environs.

— Permettez-moi de vous poser quelques questions, répondis-je.

Tolliver sortit son carnet de notes et son crayon. Sandra Rockwell parut étonnée, comme si ma requête lui semblait saugrenue.

— Allez-y, marmonna-t-elle après un bref silence.

— Y a-t-il des étendues d'eau dans ce comté ?

— Bien sûr. L'étang de Grunyan et le lac de Pine Landing. Et plusieurs ruisseaux.

— Les avez-vous dragués ?

— Oui. Deux d'entre nous sommes plongeurs, nous avons fait de notre mieux. Par ailleurs, rien n'est remonté à la surface. Les deux endroits sont très fréquentés et s'il y avait eu quelque chose à trouver, quelqu'un l'aurait découvert. Je suis sûre qu'il n'y a rien au fond de l'étang. Toutefois, dans la partie la plus profonde du lac...

Mais Sandra Rockwell n'était visiblement pas convaincue.

— Qu'avaient-ils en commun ?

— Hormis leur tranche d'âge ? Pas grand-chose sinon qu'ils se sont volatilisés.

— Tous blancs ?

— Ah ! Oui.

— Ils fréquentaient tous le même établissement scolaire ?

— Non. Quatre d'entre eux étaient élèves du lycée public local, un du collège et un autre, de *l'Académie privée Randolph Prep.*

— Vous dites que ces disparitions s'étalent sur cinq ans ? Toujours à la même époque ?

Elle contempla un dossier sur son bureau, l'ouvrit, tourna plusieurs pages.

— Non. Deux à l'automne, trois au printemps, un durant l'été.

Aucun pendant l'hiver, quand les conditions climatiques empêchaient de creuser la terre. Elle avait donc probablement raison. Ces garçons étaient enterrés quelque part.

— Vous pensez qu'une même personne les a tués.

Je tâtais le terrain mais j'étais sur la bonne voie.

— Oui. C'est mon avis.

À mon tour, j'inspirai profondément. On ne m'avait jamais confié une mission de ce type. Je n'avais jamais eu à retrouver autant d'individus.

— Je suis assez ignorante en matière de serial killers. Cependant, d'après ce que j'ai lu et vu à la télévision, il me semble qu'ils ont tendance à ensevelir leurs victimes dans les mêmes zones géographiques, voire le même endroit précis. Comme le Tueur de Green River, qui jetait la plupart des siennes dans la rivière.

— Certains d'entre eux veulent pouvoir leur rendre visite encore et encore. Pour se souvenir.

— En quoi puis-je vous aider ?

— Dites-moi comment vous travaillez. Comment retrouvez-vous les corps ?

Tolliver se lança dans son laïus habituel.

— Ma sœur a la capacité de retrouver les corps et de déterminer les causes du décès. Si nous devons les rechercher, c'est forcément plus long que de l'emmener directement au cimetière du coin pour savoir de quoi est morte telle ou telle personne dans une tombe.

— Par conséquent, ça coûte plus cher, devina Sandra Rockwell.

— Oui.

Inutile de tourner autour du pot. Le shérif Rockwell ne cilla pas. Elle ne tenta pas de nous culpabiliser. Certains de nos futurs clients nous méprisent et nous traitent comme si nous étions des chasseurs d'ambulances. Ce don est mon gagne-pain, mon unique atout et je veux empocher autant d'argent que possible tant que je serai opérationnelle. Un jour, aussi soudainement qu'elle m'a été transmise, cette aptitude pourrait m'être retirée. J'en serais certainement soulagée. Je serais aussi au chômage.

— Comment décidez-vous où chercher ?

— Nous rassemblons un maximum d'informations, déclara Tolliver. Avez-vous relevé des indices physiques à la suite des disparitions ?

Sandra Brockwell eut la bonne idée de déplier une carte des environs. Nous nous penchâmes tous trois dessus.

— Nous sommes ici. Voici Doraville. Le siège du comté. Un comté pauvre, rural. Comme vous pouvez le constater, nous sommes au pied des montagnes. Le terrain est vallonné… Trois des adolescents possédaient leur propre véhicule. Nous avons découvert le pick-up de Chester Caldwell juste là, dans le parking au début du sentier de randonnée.

— Il était le premier ? m'enquis-je.

— Oui. J'étais adjointe. Nous avons passé le secteur au peigne fin pendant des heures et des heures. Le chemin est abrupt par endroits. Nous avons guetté le moindre signe d'une chute ou d'une attaque par un animal. En vain. Il a disparu après un entraînement de football, à la mi-septembre. Abe Madden était notre shérif.

24

Elle hocha la tête, comme pour en chasser des images douloureuses.

— Nous n'avons jamais rien trouvé. Chester venait d'un milieu défavorisé ; la mère est alcoolique, divorcée. Le père a pris la poudre d'escampette depuis longtemps.

Elle marqua une pause.

— Le suivant s'appelait Tyler Webb. Il avait seize ans. Il s'est évaporé un samedi après être allé nager dans l'étang de Grunyan par un bel après-midi d'été. Nous avons repéré son véhicule sur cette aire de repos au bord de l'autoroute.

Elle pointa le doigt sur l'emplacement, situé relativement près de Doraville (à vol d'oiseau), vers l'ouest. À une distance à peu près équivalente du parking du sentier de randonnée, au nord.

— Les affaires de Tyler étaient dans la voiture : permis de conduire, serviette de bain, tee-shirt. Mais personne ne l'a jamais revu.

— Des empreintes ?

— Quelques-unes appartenant à Tyler, d'autres à ses amis. Rien sur le volant ni sur la poignée de la portière.

— Vous ne commenciez pas à vous interroger ?

— Moi, si. Pas le shérif Madden.

Elle haussa les épaules.

— On pouvait aisément imaginer que Chester ait fugué. Mais sans son pick-up ? Je n'y croyais guère. Cependant, l'atmosphère chez lui était insupportable, il avait rompu avec sa petite amie et ses notes étaient déplorables. Peut-être s'était-il suicidé. Nous n'avons pas retrouvé son corps. Dieu sait que nous avons cherché. Abe était persuadé que quelqu'un finirait par tomber dessus, tôt ou tard. En ce qui concerne Tyler, c'est une tout autre histoire. Il était issu d'une famille très unie, croyante. Un garçon solide, équilibré. Les thèses de la fugue ou du suicide ne tenaient pas debout. Malheureusement, Madden n'a rien voulu savoir : il venait d'apprendre qu'il souffrait d'un problème cardiaque et devait se ménager.

Il y eut un bref silence.

— Ensuite ? demandai-je.

— Dylan Lassiter. Dylan n'avait pas de voiture. Il a dit à sa grand-mère qu'il allait à pied chez un copain à trois rues de la maison. Il n'y est jamais parvenu... On a ramassé une casquette de base-ball qui avait pu lui appartenir. Là, dans le cimetière de Shady Grove.

— Un message.

— Possible. À moins que le vent ne l'y ait poussée. Peut-être n'était-ce pas la sienne. Nous y avons prélevé un cheveu. L'ADN était bien celui de Dylan. Les résultats d'analyse ne nous ont rien apporté de plus.

Chronologie d'une enquête bâclée. Je ne suis pas flic et je ne le serai jamais mais d'après moi, Abe Madden avait des comptes à rendre à ses concitoyens.

— Hunter Fenwick, un mois plus tard, reprit Rockwell. Hunter était le fils d'un de mes amis et c'est pour lui que je me suis présentée aux élections. Je respectais Madden – jusqu'à un certain point – mais je savais qu'il se trompait à propos de ces adolescents disparus. Hunter... sa voiture était garée sur le même parking que le pick-up de Chester. À l'entrée du sentier de randonnée. Il y avait un peu de sang dans l'habitacle – pas assez pour affirmer qu'il était mort. On a récupéré son portefeuille dans un fossé à un kilomètre de la ville.

Elle indiqua une route de campagne sinueuse qui se prolongeait sur une trentaine de kilomètres au nord-ouest de Doraville avant de bifurquer vers le nord, puis vers le nord-est jusqu'au prochain bourg niché dans les montagnes.

— Et puis ? intervint Tolliver, car le shérif Rockwell paraissait absorbée dans ses sombres pensées.

26

— Le plus jeune, Aaron Robertson. Collégien. Quatorze ans. Trop jeune pour conduire seul. Il est resté à l'école faire quelques paniers après son entraînement de basket. Il rentrait toujours à pied. Mais nous avions changé d'heure la veille et la nuit était tombée. Il n'est jamais arrivé chez lui. On n'a jamais retrouvé son sac à dos. Volatilisé.

Elle décrocha une feuille de plastique opaque du tableau en liège sur le chevalet à côté de son bureau. Nous contemplâmes une rangée de photos. Sous chacune d'entre elles figurait la date de la disparition. C'était déjà dur à entendre. C'était encore plus dur de voir leurs visages.

Nous nous tûmes un long moment.

— Le dernier ? murmura enfin Tolliver.

— Jeff McGraw. Il y a trois mois. C'est à cause de sa grand-mère que nous faisons appel à vous. Twyla avait l'impression que nous étions dans une impasse. Elle avait raison. Twyla Cotton a donné beaucoup d'argent et en a obtenu des familles qui pouvaient se le permettre. Elle a sollicité aussi des gens qui voulaient tout simplement que ça s'arrête, des gens n'ayant aucune relation avec ces garçons… Je n'en reviens toujours pas de l'énergie et du temps qu'elle y a mis. Mais Jeff était l'aîné de ses petits-fils…

Le regard de Rockwell se posa sur le cube. Rockwell était grand-mère, elle aussi. Elle s'attarda sur le dernier portrait de la rangée ; un adolescent aux cheveux auburn et la figure criblée de taches de rousseur, en blouson de sport. Jeff McGraw avait joué dans les équipes de basket et de foot de son collège. Je parierais volontiers qu'il était un héros à Doraville. Je connais les villes du Sud.

— Vous êtes donc une sorte de porte-parole pour ce consortium d'autochtones ayant rassemblé des fonds afin de retrouver ces garçons, devina Tolliver. Je suppose que le comté n'en avait pas les moyens.

27

— En effet. Nous ne pouvions pas vous faire venir aux frais de l'État. L'initiative devait être privée. Toutefois, j'ai refusé de vous engager sans vous avoir interrogés auparavant. Cette affaire me dépasse.

Drôle d'aveu de la part d'un shérif, et à plus d'un égard ! Je n'avais jamais entendu un professionnel de la loi admettre qu'il ne savait pas quoi faire. La fureur, la désapprobation, le dégoût, oui ; le doute, non.

— Je le conçois. Je sais que vous avez fait de votre mieux et que cela doit vous… vous ulcérer de devoir vous tourner vers quelqu'un comme moi. J'en suis désolée. Mais je vous assure que je me donnerai à fond et je vous jure que je ne suis pas une arnaqueuse.

— Ce ne serait pas dans votre intérêt. À présent, j'ai organisé un rendez-vous avec Twyla Cotton. Cela me semble normal. Ensuite, nous choisirons l'endroit où vous démarrerez vos recherches.

— Entendu.


Twyla Cotton était une femme très corpulente. Dans les livres, on parle d'obèses à la démarche légère ; elle n'en était pas. Elle se déplaçait lourdement. Elle nous ouvrit si vite que je me dis qu'elle devait nous guetter derrière la porte car nous l'avions appelée pour la prévenir de notre arrivée.

Elle portait un jean et un tee-shirt « Grand-mère N° 1 ». Son visage était dénué de maquillage, ses cheveux courts et noirs. Je lui donnai environ cinquante-cinq ans.

Après nous avoir serré la main, elle nous invita à entrer dans sa demeure. Twyla Cotton ne collait pas du tout avec son décor. Un styliste avait dû lui donner un coup de main et le résultat était superbe – couleurs pêche et camaïeux de beiges dans le salon, bleu marine et chocolat dans la salle de séjour – mais impersonnel.

La cuisine était son domaine naturel et c'est là qu'elle nous conduisit. Une pièce toute en briques rouges, acier inoxydable et surfaces étincelantes. L'atmosphère y était chaleureuse et intimiste.

— J'ai été la cuisinière d'Archie Cotton, expliqua-t-elle avec un sourire, comme si elle avait lu dans mes pensées.

Durant la première décennie de mon existence, j'ai grandi dans un milieu bourgeois. Par la suite, mes parents ont chuté tout en bas de l'échelle. Nous sommes passés de la richesse à la misère. Twyla Cotton avait parcouru le chemin inverse.

— Et il vous a épousée, dis-je.

— Oui, on s'est mariés. Asseyez-vous, mon cher, proposa-t-elle à Tolliver avant de me désigner une chaise.

La table était ronde, positionnée dans un bay-window à l'extrémité de la pièce et entourée de sièges larges, confortables, munis de roulettes. Un journal, quelques magazines et une petite pile de factures étaient éparpillés d'un côté. Nous prîmes place à l'opposé.

— Voulez-vous une tasse de café ? Une part de cake ?

— Je boirais volontiers un café s'il est prêt, répondit Tolliver.

— Moi aussi, s'il vous plaît.

En un éclair, elle nous apporta mugs brûlants, cuillers, serviettes, crème et sucre. Le café était excellent. Je me sentais déjà mieux. Un peu.

— Archie avait des enfants déjà adultes et indépendants, nous raconta Twyla. Après la mort de sa femme, ils sont venus de moins en moins souvent. Il se sentait seul et je travaillais pour lui depuis des années. Les choses se sont produites très naturellement.

— Ses enfants ne vous en ont pas voulu ? s'enquit Tolliver.

— Il leur a donné de l'argent, ça les a calmés. Il leur a parlé de son testament, leur expliquant qui aurait quoi

– en présence de deux avocats. Ils ont accepté de signer un papier comme quoi ils ne contesteraient pas ses dernières volontés si je lui survivais. J'ai donc eu cette maison, un joli pactole et des actions. Archie Junior et Bitsy ont eu leur part. Ils ne m'aiment pas mais ils ne me détestent pas non plus.

— Pourquoi avez-vous fait appel à nous, madame Cotton ?

— Vous avez aidé une de mes amies il y a deux ans. Linda Bernard, dans le Kentucky. Elle voulait savoir ce qui était arrivé à son petit-fils, le bébé découvert à deux kilomètres du domicile sans aucune marque sur lui.

— Je m'en souviens.

— Alors j'ai pensé à vous et Sandra vous a localisés. Elle a parlé avec une femme de la police de Memphis.

— Jeff, votre petit-fils. C'est le fils de votre fils ? Il a seize ans ?

Tolliver tentait d'orienter Twyla vers le sujet que nous étions venus aborder avec elle. Si la plupart de ceux que nous recherchons sont retrouvés morts, Tolliver et moi avons appris depuis longtemps à parler d'une personne disparue au présent. Cela nous paraît plus respectueux et plus optimiste.

— Il avait seize ans. C'était l'aîné de mon fils Parker.

Elle n'hésitait pas à employer l'imparfait. Elle lut la question dans nos regards.

— Je sais qu'il est mort, enchaîna-t-elle, une lueur de chagrin dans les prunelles. Il n'aurait jamais fugué, contrairement à ce que prétendent les flics. Il ne se serait jamais absenté si longtemps sans se manifester.

— Il est parti depuis trois mois, c'est bien cela ?

Nous en savions déjà suffisamment sur Jeff McGraw mais il me semblait plus courtois de lui poser la question.

— Depuis le 20 octobre.

— Personne n'a eu de ses nouvelles ?

Je connaissais la réponse mais je devais insister.

— Non, et il n'avait aucune raison de s'enfuir. Il était déjà sélectionné dans une équipe de football universitaire. Il avait une petite amie. Lui, son père et sa mère s'entendaient bien. Mon fils Parker – Parker McGraw, c'était mon nom avant que j'épouse Archie – Parker adorait cet enfant ! Lui et son épouse Bethalynn ont encore Carson, qui a douze ans. Mais on ne remplace pas un enfant, surtout son premier-né. Ils sont bouleversés.

Je choisis mes mots avec soin.

— Si je ne sais pas par où commencer, je risque d'errer à travers cette ville pendant des siècles sans succès. Le shérif a une idée de l'endroit où nous devrions démarrer.

— Dites-moi comment vous travaillez.

Quel bonheur de rencontrer quelqu'un qui regarde les choses en face !

— Si vous pouvez m'indiquer un lieu, je m'y rends et je m'y promène. Cela peut prendre du temps. Beaucoup de temps. Je ne réussis pas à tous les coups.

Elle éluda cette possibilité.

— Comment saurez-vous que c'est lui ?

— Oh ! Je le saurai. J'ai vu sa photo. Le problème, c'est qu'il y a des cadavres partout. Je suis obligée de faire le tri.

Elle parut stupéfaite. Au bout d'un moment de réflexion, elle opina. Là encore, une réaction à laquelle je ne suis guère habituée.

— S'il est dans un des endroits que vous me désignerez, je le trouverai. Sinon, je ne vous mentirai pas. De quoi disposez-vous pour essayer d'établir ses déplacements ?

— Son téléphone portable. On l'a ramassé sur la route de Madison. Je peux vous montrer où, précisément.

Elle me présenta aussi une photo de Jeff. Ce n'était pas celle que j'avais vue au poste de police. Celle-ci était un portrait de la famille au complet, pris par un professionnel dans un studio. Au début, mon cœur se brisait devant ces instantanés d'êtres vivants entourés de leurs proches. Aujourd'hui, je m'imprègne simplement de leurs traits dans l'espoir de les revoir, ne serait-ce que sous la forme d'un squelette. Parce que c'est ainsi que je gagne ma vie.

Cette mission à Doraville n'était pas comme les autres. Quand on a affaire à des morts, le temps ne compte pas. Ils n'iront nulle part. Cette fois, le temps pressait. Car si le shérif avait raison, un serial killer risquait de kidnapper un septième adolescent d'un instant à l'autre. Jusqu'ici, il n'avait jamais opéré en plein hiver mais comment savoir s'il n'allait pas changer de tactique, profiter de la fonte des neiges entre deux tempêtes, céder à une dernière pulsion criminelle avant les grandes gelées ?

Je me surpris à espérer. Si je parvenais à retrouver ces garçons, la manière dont ils étaient enterrés, le lieu ou ce qui était enseveli avec eux nous mèneraient peut-être à leur meurtrier. Je sais mieux que quiconque que nous sommes tous mortels. Je hais tout particulièrement les assassins de jeunes parce qu'ils privent le monde d'une existence encore pleine de potentiel. C'est un peu naïf, je le reconnais. Un alcoolique de soixante-quinze ans qui pousse une femme devant une voiture en pleine accélération changera pour toujours la vie de certains. Mais la mort d'un enfant me paraît le comble de l'horreur.

# Chapitre 3

Twyla Cotton possédait une Cadillac de modèle récent.

— J'aime les grosses voitures, nous confia-t-elle.

Nous opinâmes. Nous aussi. Nous nous étions emmitouflés pour braver le froid et Twyla ressemblait à une truffe au chocolat dans son manteau marron foncé.

— Votre fils et son épouse sont-ils au courant de notre venue ? demandai-je.

— Parker et Bethalynn sont prévenus mais ils ne sont pas convaincus de ma démarche. Ils pensent que je gaspille mon argent. Toutefois, ils savent que c'est le mien, que j'ai le droit de le dépenser à ma guise et que si ça peut me réconforter...

Twyla semblait dire qu'ils prenaient la chose avec philosophie. Pourvu que ce soit vrai ! Les proches nous donnent parfois du fil à retordre. Au fond, ce n'est guère surprenant dans la mesure où la plupart d'entre eux nous considèrent comme des charlatans. Mais nous avons eu notre lot de difficultés dans l'existence ; inutile d'en rajouter. J'échangeai un regard avec Tolliver, qui était assis sur la banquette arrière. Nous étions sur la même longueur d'onde.

— Avez-vous déjà eu un enfant, Harper ? s'enquit Twyla.

— Non. Je n'ai même jamais été enceinte. Mais je comprends ce que vous ressentez. Ma sœur a disparu depuis huit ans.

J'en parle rarement. Certaines personnes le savent. L'affaire a fait la une des journaux à l'époque.

— Vous avez de la famille, autrement ?

J'affichai un grand sourire.

— J'ai Tolliver. Et un demi-frère, Mark, ainsi que deux demi-sœurs, Mariella et Gracie. Elles habitent au Texas avec notre tante et son mari.

Mark n'était pas plus mon demi-frère que Tolliver. Il était simplement l'aîné de Tolliver. Cependant, je n'étais pas d'humeur à des explications interminables.

— Je suis désolée. Vos parents sont décédés ?

— Ma mère, oui. Mon père est encore en vie.

En prison, mais en vie. La mère de Tolliver est morte avant que son père ne rencontre la mienne et que ce dernier, enfin libéré, dérive... quelque part. Quand on pense que tous trois ont été avocats, quelle chute en enfer !

Twyla parut légèrement choquée.

— C'est abominable. Je suis désolée, répéta-t-elle.

Je haussai les épaules. C'est abominable, mais c'est ainsi.

— Merci, murmurai-je sans un soupçon de sincérité.

Je n'y peux rien. Quand j'ai appris le décès de ma mère, j'ai eu de la peine mais je n'ai pas été étonnée, j'ai même éprouvé une vague sensation de soulagement.

Nous restâmes silencieux jusqu'à ce que Twyla se gare sur le bas-côté. Elle jeta un coup d'œil sur la liste qu'elle avait gribouillée durant un bref appel téléphonique avec Sandra Rockwell. En effet, le shérif avait cité les lieux par ordre de priorité.

34

Nous étions au bord du terrain de football, une étendue de terre aride derrière le lycée. La saison était terminée et les vestiaires fermés jusqu'à l'année prochaine. Désormais, on jouerait au basket en salle.

— Le pick-up était ici, annonça Twyla. Nous venions de le lui acheter. Un vieux Dodge d'occasion.

Le shérif Rockwell nous en avait moins dit sur Jeff que sur les autres, sans doute parce qu'elle savait que nous verrions la grand-mère. Je scrutai les alentours et ne vis personne. Pas une âme. Un enlèvement était possible mais risqué. Quelqu'un pouvait émerger de l'école à n'importe quel moment. Mais il n'y avait aucune maison en vue. L'allée derrière le stade n'était qu'un ruban de terre au pied d'une colline abrupte dans laquelle on avait taillé pour construire le bâtiment.

Si le lieu pouvait convenir à un kidnapping, j'imaginais mal qu'on ait pu tuer et enterrer le garçon sur place mais je voulais montrer que j'étais pleine de bonne volonté. Je descendis de la Cadillac et m'avançai de quelques pas. Rien, sinon un minuscule tintement signifiant la présence de restes humains incroyablement anciens dans les parages. Une perception que j'ai appris à ignorer lorsque je suis à la recherche d'un cadavre récent. Je longeai le terrain par acquit de conscience puis revins en secouant la tête et remontai dans le véhicule. Nous redémarrâmes, Twyla nous indiquant au passage tel ou tel monument de la ville. Je ne l'écoutais pas, préférant me concentrer sur les vibrations à mesure que nous nous déplacions. Le cimetière local déclencha un bruit de friture assourdissant mais nous devions nous y arrêter car c'était là qu'on avait ramassé la casquette de Tyler.

Bien entendu, les dépouilles y abondaient, dont certaines encore très fraîches. Il faisait beaucoup trop

froid pour me mettre pieds nus mais je suivis mon instinct jusqu'aux tombes les plus récentes : ici, une crise
cardiaque ; là, une mort naturelle. Facile. Mais Tyler
Lassiter était parti depuis deux ans, je devais donc
insister. En vain. Toutes les personnes ensevelies ici
correspondaient aux noms gravés sur leur pierre tom-
bale. J'étais soulagée que Doraville soit une petite ville
et que certains de ses citoyens reposent dans le nouveau cimetière, plus au sud.

Nous repartîmes vers la frontière ouest et Twyla se
gara une fois de plus sur le bas-côté.

— L'homme qui vit ici a été arrêté pour agression
sur un adolescent, expliqua-t-elle en désignant une
maison en bois blanc décrépite, visible derrière un
enchevêtrement de vignes et d'arbustes. Il a été inter-
rogé à de nombreuses reprises.

Je ne ressentais rien de spécial dans la voiture. Je
descendis et fis quelques pas, paupières closes. Je
repérai un bourdonnement à ma gauche, dans les bois,
mais c'était celui que j'associais aux nécropoles d'une
autre ère. J'entendis Tolliver baisser sa vitre.

— Demande-lui s'il y a une vieille église au fond des
bois entourée de son propre cimetière.

— Oui ! lança Twyla. L'église du Mont Ararat !

Je les rejoignis et soupirai.

— Rien.

Twyla inspira profondément comme si elle s'apprêtait à abattre sa dernière carte. Nous redémarrâmes –
direction nord-ouest d'après le GPS – laissant
Doraville derrière nous. Si le corps de Jeff gisait dans
ces montagnes, je ne le retrouverais jamais. Je n'avais
aucune envie de me lancer dans une telle ascension,
surtout par ce temps. Une pensée égoïste me traversa
l'esprit. Pourquoi Twyla ne m'avait-elle pas sollicitée
deux mois plus tôt ? Voire un ? Je frissonnai en pen-

sant à la bise glaciale, aux plaques de neige éparpillées sur le sol, aux prévisions météorologiques exécrables pour les jours à venir.

Soudain, Twyla s'arrêta. Je remarquai combien elle était pâle et tendue.

— Le téléphone était là, marmonna-t-elle en pointant le pouce vers sa droite. C'est moi qui ai posé cette pierre pour marquer l'endroit après que le shérif me l'a montré.

Je contemplai le gros caillou orné d'une croix bleue, fiché dans la terre.

— Vous l'avez enfoncé profondément, fit remarquer Tolliver.

— Il fallait que la faucheuse puisse passer dessus. C'était il y a trois mois.

Pratique.

Je sortis en enfilant mes gants. La température avait chuté. La route de Madison grimpait abruptement devant nous, découpée dans le mont s'élevant à notre gauche. De notre côté, une bande de terre étroite s'étirait jusqu'au pied de la colline. Au beau milieu se dressait une maison abandonnée depuis des années. La parcelle n'était pas parfaitement rectangulaire car elle suivait les contours de la butte.

Nous étions au bord d'un fossé profond. Pour faciliter l'écoulement des eaux de pluie, l'allée de la propriété enjambait un caniveau. Le portail était à moitié écroulé. Aujourd'hui, toutes les feuilles étaient tombées, les touffes de mauvaises herbes brunies par l'hiver et les quelques pousses de sapin, étonnamment vertes en comparaison, semblaient soutenir les restes de la clôture.

La maison était modeste. Le toit n'était pas effondré mais troué ici et là, et la véranda s'affaissait. Les fenêtres étaient dénuées de vitres. Légèrement à l'écart se dressait un garage à deux places dont les larges portes entrouvertes pendouillaient.

L'eau du canal de drainage était noire. Il avait beaucoup plu ces dernières semaines et de nouvelles averses menaçaient.

Je compris à la manière dont Tolliver inclinait la tête que je devais remonter le bord de la route jusqu'à la naissance de la vallée. Il se disait que l'assassin avait voulu se débarrasser du corps sur un terrain plus accessible et avait jeté les accessoires inutiles en chemin vers la montagne. En d'autres circonstances, j'aurais suivi le même raisonnement.

Mais c'était inutile.

Dès que j'avais touché le sol, j'avais su que j'aurais bientôt des nouvelles pour Twyla Cotton. Le bourdonnement déjà intense s'accrut alors que je me rapprochais de l'allée érodée. Ce n'était pas le signal d'un seul cadavre. Un sentiment d'horreur m'envahit. Je n'osais pas regarder Tolliver. Il me prit le bras. Il avait compris que je me dirigeais vers ce qui avait été autrefois le jardin.

— Nous aurions dû mettre nos bottes, dit-il.

Mais je n'enregistrai pas son commentaire. Je vis un pick-up bleu s'approcher, ralentir dans le virage, disparaître. Nous n'avions croisé aucun autre véhicule en venant.

Le bruit du moteur s'étant estompé, je n'entendais plus que les appels des morts. Je poursuivis mon chemin.

— On va avoir besoin des jalons.

Il retourna à la voiture chercher les piquets pourvus de petites flammes en plastique rouge.

J'avais atteint le milieu du jardin, entre la clôture et la maison en ruine. Je pivotai lentement sur trois cent soixante degrés, submergée par les clameurs des défunts. Tout ce qu'ils veulent, c'est qu'on les retrouve.

J'essayai de parler, m'étranglai, laissai échapper un cri.

— Qu'est-ce qu'il y a ? s'affola Tolliver. Harper ?

Je trébuchai vers ma gauche.

— Ici ?

Twyla nous avait rejoints.

— Mon petit-fils ? Jeff est là ?

J'avançai de six pas vers le nord-ouest.

— Ici aussi.

— Il est en *morceaux* ?

— Harper a décelé plus d'un cadavre, lui répondit Tolliver.

Je levai les mains, effectuai un deuxième tour, les yeux fermés, en comptant.

— Huit. Il y en a huit.

— Doux Jésus !

Twyla s'effondra sur une souche.

— J'appelle la police, annonça-t-elle en sortant son portable.

— Que leur est-il arrivé ? me demanda tout bas Tolliver.

Je ne dis rien. L'heure était venue pour moi de le découvrir, mais je ne voulais pas que l'on m'observe en pleine action. Je tentai de me ressaisir.

— Tolliver ?

— Je suis près de toi. Je te soutiens.

Je me plaçai directement au-dessus du premier cadavre. À travers la terre et les cailloux, j'eus un aperçu de l'enfer. C'est tout ce dont je me souviens.

# Chapitre 4

— Vous croyez qu'elle va se réveiller ?

Dans le lointain, je reconnus la voix de Sandra Rockwell. Elle paraissait tendue.

— Harper ? Harper ? murmura Tolliver.

Je n'avais aucune envie de revenir à la réalité mais je n'avais pas le choix.

— Ça va, marmonnai-je.

— Que dois-je faire ? s'enquit le shérif.

Visiblement, elle aurait préféré être ailleurs. Je devais ouvrir les yeux, affronter le regard brun sous la casquette. Sandra Rockwell était engoncée dans une doudoune épaisse.

— Ils sont tous là. Si vous voulez bien patienter un instant, je vous dirai qui est où. Et il y en a huit, pas six.

— Comment le savez-vous ?

J'étais sur la banquette arrière de la voiture de Twyla, un coussin calé sous la nuque.

— Tiens, dit Tolliver. Prends un peu de sucre.

Il fourragea dans sa poche en quête d'un bonbon. Il le déballa, me le mit dans la bouche. Je me sentirais mieux au bout de quelques minutes, surtout si je pouvais boire un Coca.

— Vous étiez prête à me croire avant que je ne me mette au travail, ripostai-je. Faites-moi confiance. Creusez.

— Si vous mentez, vous finirez derrière les barreaux.

— Ce serait mérité.

Au prix d'un effort colossal, je tournai la tête. Deux adjoints étaient sur le site en compagnie de Twyla. L'expression de son visage aurait arraché des larmes au plus blasé des escrocs – quoique... Au cours de nos périples, dans mon domaine d'activité, nous en avons rencontré plusieurs et aucun d'eux n'a jamais montré le moindre signe de compassion. Ce sentiment n'appartient pas à leur répertoire émotionnel.

— Venez me montrer, ordonna le shérif Rockwell.

Tolliver m'aida à descendre de la Cadillac et nous retournâmes à l'endroit où je m'étais évanouie. Encore tremblante à la perspective de ressentir tous ces morts autour de moi, je me positionnai sur le corps le plus récent.

— Ici, déclarai-je en pointant le doigt

Je savais qui c'était. Jeff, le petit-fils de Twyla. Tolliver s'empara du cahier à spirale qu'il avait glissé dans la poche intérieure de son blouson. Il avait esquissé un plan des lieux.

— C'est Jeff, Jeff McGraw. On l'a étranglé.

Tolliver planta un piquet dans le sol. Le fanion rouge claqua dans la brise. Il posa le bras sur mes épaules et serra ma main droite dans la sienne. D'un signe, j'indiquai que nous devions remonter un peu vers le nord. Puis je me concentrai au-dessus d'un deuxième cadavre et me mis à pleurer. Jamais je n'avais senti une telle souffrance.

— Chester, annonçai-je.

Deux mètres plus loin, je tombai sur un garçon que le shérif Rockwell n'avait pas mentionné.

— Celui-ci pourrait s'appeler... Chad. Chad ou un prénom qui commence par un « t ».

Rockwell prenait des notes dans son propre carnet. Les adjoints étaient attentifs mais sceptiques et furieux. Je n'y pouvais rien. Ils finiraient par comprendre.

Je me laissai guider par le signal suivant jusqu'au fond de la parcelle, au pied de la colline, devant un groupe d'arbustes. J'essuyai ma figure avec un mouchoir.

— Dylan...

Je redescendis et m'immobilisai derrière la maison.

— Aaron. N'y avait-il pas un Aaron ?

Je continuai encore un peu plus bas. Cette fois, ce fut plus dur, je ne sais pas trop pourquoi. La terreur et la panique avaient court-circuité son cerveau pendant qu'il mourait.

— Je pense qu'il s'agit de Tyler.

Je m'arrêtai ensuite devant la dépouille la plus ancienne : les vibrations qui en émanaient étaient un tantinet plus faibles.

— Lui, c'est le premier. Il s'appelait... James quelque chose. James Ray, James Roy, James Robert. Je ne suis pas... Impossible de vous donner son nom de famille. Tolliver, je t'en prie, emmène-moi loin d'ici. Je n'en peux plus.

Je tenais à peine debout lorsque je localisai Hunter. Il avait succombé à une hypothermie. Il devait faire partie des kidnappés du mois de novembre.

— Puis-je ramener ma sœur en ville ? Elle a besoin de s'allonger.

— Non, rétorqua sèchement Sandra Rockwell. Pas avant que nous ayons vérifié.

Si j'avais menti, elle voulait m'avoir à proximité.

— Par lequel me conseillez-vous de commencer ?

— Celui que vous voudrez. Ils sont tous marqués.

Twyla s'était retranchée dans la Cadillac. Je me félicitai de ne pas pouvoir deviner les pensées des vivants

42

car sa souffrance devait être immense. Quand Tolliver et moi grimpâmes sur la banquette arrière, elle eut la gentillesse d'allumer le chauffage. Nous restâmes ainsi pressés l'un contre l'autre pendant un temps qui nous parut interminable. Sans un mot. Ma tête résonnait et j'étais incapable de réfléchir. J'avais vu des horreurs.

Au bout d'un moment, Twyla prit la parole :

— Ils sont en train de creuser. Sale temps pour une tâche pareille. J'espère que Dave et Harry ne vont pas prendre froid. Ni Sandra.

Je songeai que j'aurais volontiers attendu une embellie mais me retins de le dire à voix haute.

C'était la première fois que je me trouvais confrontée à un tel massacre.


Peu avant onze heures, Dave et Harry, les deux adjoints, découvrirent les premiers ossements.

Il y eut une pause palpable. Les trois officiers s'étaient figés autour du trou.

Je me redressai brusquement. Tolliver et Twyla tournèrent la tête.

— Mon petit-fils ? demanda cette dernière.

Je m'y attendais.

— Non. Ils ont démarré par la tombe située le plus au nord. Je suis navrée. Votre petit-fils est là, Twyla, sous le premier drapeau que nous avons planté. Je regrette.

— Vous ne pouvez pas en avoir la certitude, protesta-t-elle d'une voix hésitante.

Je connaissais Twyla Cotton depuis deux heures, pas davantage, mais je savais déjà que ce n'était pas son attitude normale.

— Non.

Cependant je n'avais pas le moindre doute. Ce don étrange est tout ce que je possède. Ce don, Tolliver et mes deux demi-sœurs. Aussi je ménage mon talent et ne dis jamais rien à moins d'être sûre de moi. Le garçon que j'avais vu était celui des photos chez Twyla Cotton.

— Comment... comment sont-ils morts ?

La question redoutée entre toutes.

— Je ne peux pas vraiment... Je ne peux pas, conclus-je d'un ton ferme.

Tolliver grimaça et fixa la route. Il était pressé de s'en aller. Pas autant que moi. J'étais malade d'effroi. Je m'étais crue blindée. L'épisode que je venais de vivre me prouvait le contraire.

— Vous pouvez partir ! lança Sandra Rockwell.

Je sursautai. Elle s'était approchée de la voiture et avait ouvert la portière.

— Rentrez chez Twyla et attendez-moi là-bas. Je contacte le SBI.

Le Bureau d'Investigation de l'État, une sorte de FBI régional. Son intervention serait d'une aide précieuse dans une affaire comme celle-ci mais cela ne signifiait pas que leurs agents seraient accueillis chaleureusement. Sandra paraissait irritée, blême et terrifiée.

Twyla démarra et nous parcourûmes quelques kilomètres dans la montagne avant d'atteindre un rond-point. Elle fit demi-tour et nous repassâmes devant la maison en ruine pour gagner Doraville. Elle rangea sa voiture au garage et en descendit péniblement comme si elle avait pris vingt ans d'un coup. Une fois à l'intérieur, elle nous entraîna jusqu'à la cuisine.

— Si j'ai bien compris, le shérif Rockwell préfère que nous restions ici avec vous, dis-je. Je suis navrée. J'aurais préféré aller directement au motel. Vous avez besoin de tranquillité.

— Je vais monter un moment. Servez-vous à boire dans le réfrigérateur et appelez-moi si vous avez

44

besoin de quoi que ce soit. Si vous avez faim, il y a du jambon. La boîte à pain est là.

Elle la montra du doigt et nous acquiesçâmes. Puis, le visage figé par le chagrin et les larmes retenues, elle alla s'enfermer dans sa chambre. Au bout d'une minute, nous perçûmes sa voix et comprîmes qu'elle passait des coups de fil.

Nous nous installâmes autour de la table, ne sachant que faire d'autre. Quand bien même nous aurions été d'humeur à regarder la télévision ou écouter la radio, nous n'aurions pas osé allumer les appareils. Nous lûmes le journal. Tolliver se leva pour nous prendre deux Coca dans le réfrigérateur. Puis il se concentra sur un mot croisé et je me plongeai dans la lecture d'un *Reader's Digest*.

Soudain, la porte de la cuisine s'ouvrit. Un homme et une femme firent irruption dans la pièce. Ils stoppèrent net en nous voyant mais davantage pour nous dévisager que surpris par notre présence. Lui était grand et brun, elle, une fausse blonde aux courbes voluptueuses.

— Où est ma mère ? demanda-t-il.

— Là-haut.

Sans perdre une seconde, le couple fonça vers l'escalier. Tous deux arboraient l'uniforme d'hiver de Doraville : doudounes et jeans, chemises en flanelle et bottes.

— Le fils et son épouse, commenta Tolliver. Parker et Bethalynn.

Il a une bien meilleure mémoire des noms que moi.

Le téléphone sonna. Quelqu'un décrocha.

La situation était pour le moins inconfortable.

— Nous devrions partir. Tant pis pour le flic. On n'a pas besoin de nous ici.

— On pourrait attendre dans notre voiture. On serait plus à l'aise.

— Bonne idée.

Nous lavâmes les tasses à café dont nous nous étions servis un peu plus tôt et les plaçâmes dans l'égouttoir. Nous enfilâmes nos manteaux. Silencieux comme des voleurs, nous sortîmes sur la pointe des pieds et nous glissâmes dans notre véhicule. Un gros pick-up était stationné derrière la Cadillac de Twyla et je fus soulagée de constater qu'il ne nous bloquait pas le chemin. Tolliver mit le moteur en marche et la température devint à peu près tolérable au bout de quelques minutes. La journée n'allait pas se réchauffer et le ciel était de plus en plus gris.

Dix minutes plus tard, sans que nous ayons échangé une parole, Tolliver desserra le frein à main et nous nous rendîmes au motel.

Notre chambre était bien chauffée. Je nous préparai des chocolats chauds à l'eau. Je saisis le livre que j'étais en train de lire et m'étendis sur le lit pour m'y perdre. Malheureusement, mes visions me hantaient.

— Ils étaient huit, dit tout à coup Tolliver.

Il s'était installé dans l'un des fauteuils, les pieds sur le matelas.

— Oui. C'était épouvantable.

— Tu veux en parler ?

— Tu n'imagines pas à quel point, Tolliver. On les a torturés avec des couteaux, on les a battus, mutilés. On les a violés. En prenant tout son temps. On a prolongé leurs souffrances au maximum. J'ai eu l'impression qu'il y avait plus d'un bourreau.

Tolliver pâlit.

— Pauvre Twyla.

— Nous ne sommes pas au bout de l'horreur.

Nous avons rencontré toutes sortes de morts accidentelles – surtout dans les montagnes. Les gens ont du mal à comprendre que le terrain peut tuer, ou peut-être deviennent-ils négligents dans un environnement familier. Les chasseurs en particulier sont tellement habitués à sortir armés d'un fusil qu'ils en oublient souvent les règles de sécurité les plus élémentaires. Ils portent leurs armes n'importe comment. Ils oublient de recharger la batterie de leur téléphone portable. Ils ne disent à personne où ils vont. Ils ne s'équipent pas d'une trousse de secours. Ils s'aventurent seuls dans la forêt. Ils ne s'habillent pas en orange.

Mais les morts de ces garçons n'avaient rien d'accidentel.

— Le pire reste à venir, prédis-je. Et il faudra démasquer le coupable. C'est quelqu'un de la région.

Tolliver me fixa.

— Tu as raison, convint-il enfin. Il faut être du coin pour enterrer tous ces corps à cet endroit. Et tous ensemble... Sais-tu s'ils ont été tués sur place ?

— Celui de la première tombe, oui. Il a succombé dans la maison ou dans le garage. Difficile de le déterminer. Il faudrait que je puisse inspecter l'intérieur.

— Mais tu supposes que c'est là qu'il les a martyrisés.

Je tentai de trier les impressions qui m'avaient submergée.

— Je crois que oui.

Quelque chose clochait, je ne savais pas quoi.

— Un autochtone, alors.

— Dans une petite communauté comme celle-ci, j'ai du mal à l'imaginer.

— Tu veux dire que tu te demandes comment un homme a pu dissimuler à son entourage le fait qu'il torturait et assassinait de jeunes garçons ?

— Oui. Et pourquoi les gens d'ici ne se sont-ils pas plus émus que cela de toutes ces disparitions ?

— Aucun corps n'ayant été retrouvé, c'est plus facile à expliquer, je suppose.

Nous nous réfugiâmes chacun dans nos sombres réflexions, faisant mine de temps en temps de lire, jusqu'à la tombée de la nuit. Puis le shérif Rockwell frappa à notre porte. Tolliver l'invita à entrer. Le pantalon de son uniforme vert foncé était maculé de terre, sa parka aussi.

— On a creusé, avec les gars du SBI. Vous aviez raison. Tous les ados sont là. Il y en a même deux en prime.

# Chapitre 5

Elle s'assit dans l'un des deux fauteuils. Tolliver et moi nous perchâmes sur son lit, face à elle. Elle était arrivée avec un gobelet de café fumant de chez McDo, je ne lui offris donc rien à boire. Elle ne nous reprocha pas d'être partis de chez Twyla. Elle paraissait éreintée mais surexcitée.

— Les journalistes vont nous tomber dessus dans les jours à venir. Les chaînes de télévision sont déjà sur le coup. Leurs équipes ne vont pas tarder. Le SBI prend l'enquête en charge mais me laisse participer. On me demande de faire la liaison avec vous deux puisque c'est moi qui vous ai sollicités. L'agent en chef Pell Klavin et l'agent spécial Max Stuart voudront vous rencontrer.

Comme nous ne réagissions pas, elle enchaîna.

— Savez-vous ce que j'aimerais ? J'aimerais pouvoir vous signer un chèque et vous souhaiter bon vent. Cette affaire va braquer tous les projecteurs sur Doraville... Vous savez sans doute ce que c'est. Non seulement nous allons passer pour des demeurés parce que nous avons laissé un maniaque tuer huit adolescents avant de nous en apercevoir mais tout le monde va nous prendre pour des personnes crédules.

— Nous partirions volontiers tout de suite si nous le pouvions, intervint Tolliver, et j'opinai. Nous ne tenons pas du tout à assister au cirque médiatique.

Dans mon métier, un peu de publicité, c'est bien ; trop, c'est néfaste.

Le shérif Rockwell se cala dans son siège en nous dévisageant d'un air étrange.

— Qu'y a-t-il ? glapit Tolliver.

— Je n'en reviens pas que vous soyez aussi indifférents à cette chance de vous faire connaître. Vous remontez dans mon estime. Êtes-vous vraiment prêts à vous en aller ? Je pourrais peut-être demander aux collègues du SBI de vous rejoindre à votre prochaine étape.

— Nous quitterons Doraville ce soir, décidai-je.

J'avais l'impression d'être soulagée d'un poids énorme. J'étais persuadée que le shérif nous obligerait à rester. Je déteste les affaires criminelles. Les missions dans les cimetières me conviennent mieux. On arrive dans la ville en question, on se rend au cimetière, on rencontre les survivants, je me positionne sur la tombe et je leur dis ce que je vois. On empoche le chèque et on file. Le shérif Rockwell nous permettait au moins de prendre le large.

— Attendons demain matin, proposa Tolliver. Tu es encore faible.

— Je peux me reposer dans la voiture.

Je me sentais l'âme du lièvre poursuivi par un lévrier.

— D'accord, concéda-t-il.

Il me contempla d'un air dubitatif. Mais il commençait à comprendre mon besoin presque frénétique de fuir Doraville.

— Parfait, déclara Rockwell, encore vaguement surprise par notre réaction. Je suis certaine que Twyla insistera pour vous payer et voudra vous revoir.

— Nous lui rendrons visite avant de partir. Comment les recherches sur le site progressent-elles ? voulut savoir Tolliver.

50

Rockwell s'était levée et approchée de la porte. Elle nous avait déjà chassés de son esprit. Elle se retourna à contrecœur.

— Nous avons suffisamment creusé tous les endroits marqués pour confirmer la présence de restes humains. Demain matin, quand la lumière sera meilleure, les gars de la police scientifique viendront superviser les opérations. Mes adjoints feront l'essentiel du travail préliminaire. Klavin et Stuart ont promis de me tenir au courant.

Elle semblait douter de leur sincérité.

— C'est une bonne chose, non ? m'exclamai-je, le cœur allégé. La venue des légistes ? Ils sauront exhumer les corps sans souiller les éventuels indices.

— Oui. Cela nous coûte d'avouer que nous avons besoin d'aide mais c'est le cas.

Sandra examina ses mains comme si elle voulait s'assurer que c'étaient bien les siennes.

— J'ai personnellement reçu des appels de CNN et de deux autres chaînes de la télévision nationale. Vous avez donc tout intérêt à déguerpir avant l'aube. Prévenez-moi dès que vous aurez vos nouvelles coordonnées. Ne vous avisez pas de sortir de l'État. N'oubliez pas que les agents du SBI veulent vous parler.

— Entendu, répondit Tolliver.

Elle s'éclipsa et je me ruai sur ma valise. En moins de dix minutes, nous serions prêts.

Tolliver entreprit de ranger son rasoir et sa mousse dans sa trousse de toilette.

— Pourquoi tant de hâte ? Tu as besoin de dormir.

— Ce que j'ai vu m'a traumatisée.

Je pliai soigneusement un sweat-shirt.

— Pour rien au monde je ne voudrais être entraînée dans cette enquête. Je vais chercher l'atlas afin qu'on détermine notre prochain point de chute.

Encore un peu chancelante, je m'emparai des clés posées sur le poste de télévision. Pendant que Tolliver vérifiait le contenu de notre glacière, je sortis dans le froid. Je fermai la porte derrière moi. La soirée était glaciale et silencieuse. Les rues de Doraville étaient très éclairées et j'avais un lampadaire juste au-dessus de la tête. Enfilant mon blouson, je scrutai le ciel. J'aperçus quelques étoiles entre les nuages. J'aime regarder les étoiles, surtout quand mon boulot me déprime. Mes problèmes sont insignifiants comparés à leur brillance.

Il allait bientôt neiger.

Laissant de côté ma fascination pour les astres lointains, je me concentrai sur mes préoccupations immédiates. Je déverrouillai la portière à distance et descendis sur l'étroit trottoir qui courait devant notre entrée. Un mouvement dans ma vision périphérique attira mon attention et je tournai légèrement la tête.

Le coup m'atteignit juste sous le coude. La douleur fut fulgurante. Je poussai un cri et appuyai sur le bouton d'alerte de la télécommande. Le klaxon se mit à hurler alors que le trousseau m'échappait des doigts. Je tentai de lever les bras pour me protéger. Celui de gauche refusa d'obéir. Je ne pus qu'apercevoir un homme affublé d'une cagoule noire avant de recevoir un deuxième coup en pleine tête. J'avais eu beau me jeter sur le côté pour éviter de recevoir l'impact de plein fouet, j'eus l'impression qu'elle allait s'envoler quand la pelle m'écorcha le crâne. Je titubai. La dernière chose dont je me souvienne, c'est d'avoir levé les mains pour parer ma chute : une seule répondit à mon ordre.

— Elle va se remettre, n'est-ce pas ?

La voix de Tolliver était plus forte, plus angoissée que de coutume.

— Harper ? Harper, parle-moi !

— Elle va reprendre conscience d'ici un instant, lui répondit un homme.

Un homme âgé, calme.

— On pèle de froid, ici ! vociféra Tolliver. Mettez-la dans l'ambulance.

Merde ! On n'a pas les moyens de s'offrir une ambulance. En tout cas, ce n'est pas à ça qu'on devrait dépenser notre argent.

— Non, marmottai-je, mais le son que j'émis était incohérent.

— *Si* !

Dieu bénisse Tolliver. Il m'avait comprise. Et si j'étais seule en ce bas monde ? S'il décidait de… Seigneur ! Ma tête ! Était-ce du sang, sur ma main ?

— Qui m'a frappée ?

— Quelqu'un t'a frappée ? Je croyais que tu étais tombée dans les pommes ! Quelqu'un l'a frappée ! Alertez la police !

— D'accord, camarade, les flics nous retrouveront à l'hôpital, riposta l'inconnu.

Mon bras me faisait un mal de chien. Tout mon corps était endolori. Quel cauchemar !

— Prêt ? interrogea une autre voix.

Une femme, cette fois.

— Un, deux, trois !

Ils me posèrent sur une civière et je retins un hurlement de douleur.

— Elle souffre, constata l'Autre Voix. A-t-elle d'autres blessures qu'à la tête ?

— Bras, bredouillai-je.

— Il vaudrait peut-être mieux ne pas la bouger, intervint Tolliver.

— Trop tard, fit remarquer Voix Calme.

— Ça va ? s'enquit une troisième voix.

Question franchement stupide, d'après moi.

Ils me roulèrent jusqu'à l'ambulance. J'entrouvris les yeux, le temps d'apercevoir les gyrophares rouges. De nouveau, je m'inquiétai du prix de cette folie mais une fois les portes refermées, je décidai de ne pas m'en faire pour l'instant.

Je me réveillai à l'hôpital. Un homme aux cheveux gris coupés court et aux lunettes cerclées était penché sur moi. Son expression était à la fois grave et compatissante. Pourvu qu'il soit médecin. Il en avait l'allure.

— Me comprenez-vous ? Pouvez-vous compter mes doigts ?

Deux questions d'affilée. J'essayai d'opiner pour montrer que je le comprenais. Aïe ! Je n'aurais pas dû. Quels doigts ?

Lorsque je rouvris les yeux, j'étais dans une pièce chaude et sombre et j'avais l'impression d'être emmaillotée comme un bébé. Apparemment, j'étais dans un lit enveloppée de draps en coton blanc. La lampe au-dessus de moi diffusait une lumière tamisée. À en juger par le silence, nous étions au beau milieu de la nuit. À côté, sur le fauteuil en skaï orange, les jambes étirées devant lui, Tolliver dormait, lui aussi enroulé dans une couverture. Il y avait du sang sur sa chemise. Le mien ?

J'avais terriblement soif.

Une infirmière entra, prit mon pouls, vérifia ma température. Elle me sourit en se rendant compte que j'étais réveillée mais ne m'adressa la parole qu'une fois ses tâches accomplies.

— Avez-vous besoin de quelque chose ?

— De l'eau ? murmurai-je, pleine d'espoir.

Elle porta une paille à mes lèvres et j'aspirai. Je n'avais pas réalisé combien j'avais la gorge sèche. J'étais sous perfusion. J'avais envie de faire pipi.

— J'ai besoin d'aller aux toilettes, chuchotai-je.

— D'accord. Vous pouvez vous lever si je vous aide. Allons-y doucement.

Elle baissa la barrière et je voulus m'asseoir en me tournant. Mauvaise idée. Je m'immobilisai, étourdie. Elle mit un bras autour de ma taille et me soutint tandis que je me laissais glisser délicatement jusqu'au linoléum froid. Nous avançâmes à petits pas jusqu'à la salle de bains en poussant le pied à sérum. J'eus du mal à m'asseoir sur la cuvette mais mes efforts furent récompensés par le soulagement que j'éprouvai ensuite.

L'infirmière se tenait juste derrière la porte entrouverte et je l'entendis bavarder avec Tolliver. J'étais désolée de l'avoir dérangé mais en regagnant mon lit, je fus heureuse de voir son visage.

Je remerciai l'infirmière.

— N'hésitez pas à appuyer sur la sonnette.

Après son départ, Tolliver se leva et vint me serrer contre lui avec autant de soin que si l'on m'avait estampillé la mention « fragile » sur le front. Il m'embrassa sur la joue.

— J'ai cru que tu t'étais évanouie Je ne savais pas qu'on t'avait frappée. Je n'ai rien entendu. J'ai pensé que tu avais eu une sorte de flash-back de la scène du crime. Ou que ta jambe t'avait lâchée, ou je ne sais quoi d'autre.

La mésaventure de mon enfance me poursuit. L'année précédente, j'étais subitement devenue la proie d'acouphènes ; la logique voulait que j'applique ce malaise à la foudre qui m'avait frappée à l'âge de quinze ans. Rien d'étonnant, donc, à ce que Tolliver mette mon malaise sur le compte de cette catastrophe passée.

— Tu l'as vu ?

Sa voix était empreinte de culpabilité, ce qui était absurde.

— Oui. Mais pas distinctement. Il portait des vêtements sombres et une cagoule en laine. Il a surgi de l'ombre. Il m'a d'abord cogné le coude. Puis, avant que je puisse me dégager, il m'a tapé sur la tête.

J'avais eu de la chance. Il avait mal visé.

— Tu as une fissure du cubitus. Tu sais, l'os long situé du côté interne de l'avant-bras. Et une légère commotion cérébrale. Pour te recoudre le scalp, ils ont dû raser un peu de tes cheveux. Ça se voit à peine, me rassura-t-il en notant mon affolement.

J'essayai de ne pas m'en faire pour quelques centimètres carrés d'une chevelure qui repousserait.

— Je n'ai pas subi une seule fracture depuis dix ans. Et encore, ce n'était qu'un orteil.

J'étais en train de préparer le dîner pour les enfants et ma mère m'avait bousculée alors que je sortais un plat en verre du four (je précise au passage qu'il contenait un poulet rôti). J'étais suffisamment réveillée maintenant pour savoir que la douleur ressentie ce jour-là n'était rien comparée à celle que j'éprouverais si on ne m'avait pas assommée de drogues.

Je n'étais pas pressée que leur effet se dissipe.

Tolliver me tenait la main droite. Heureusement pour moi, le bras blessé était le gauche. Il avait le regard dans le vide. Il réfléchissait. J'en étais bien incapable.

— Ce devait être le meurtrier.

Un frémissement me parcourut. La pensée que cette personne – le monstre qui avait torturé ces garçons – m'avait approchée d'aussi près, touchée, observée avec ces yeux qui avaient pris tant de plaisir devant les souffrances de ses victimes me révoltait.

— Est-ce qu'on pourra s'en aller demain ?

— Non. Tu ne peux pas voyager avant quelques jours. Il faut te reposer.

— Je ne veux pas rester ici.

— Malheureusement, nous y sommes forcés, répliqua-t-il d'un ton gentil mais ferme. Le médecin

56

dit que tu as eu de la veine de t'en sortir avec une simple commotion cérébrale. Au début, il a craint le pire.

— Pourquoi ce type ne m'a-t-il pas tuée ?

— Parce que tu avais appuyé sur le bouton d'alerte et que je me suis précipité dehors.

Il arpenta la chambre. Ses allées et venues me donnaient le tournis. Il était fou de rage et très inquiet.

— Non, avant que tu ne me poses la question, je n'ai vu personne sur le parking. Mais je ne cherchais pas. J'étais persuadé que tu étais tombée dans les pommes. Il devait être à un mètre à peine quand j'ai franchi le seuil. Et je bougeais vite.

Je faillis sourire. J'y serais parvenue si je n'avais pas eu aussi mal au crâne.

— Tu m'étonnes.

— Il faut que tu dormes, Harper.

Je décidai de fermer les yeux, juste une minute.

Quand je me réveillai, le soleil s'immisçait entre les rideaux et l'on s'affairait dans les couloirs. Voix, bruits de pas, roulements de chariots retentissaient. Infirmières et aides-soignantes se succédèrent à mon chevet. On m'apporta un plateau de petit déjeuner : du café et une part de Jell-O vert. Je m'aperçus que j'étais affamée quand j'en goûtai une cuillerée. Incroyable ! pensai-je après avoir avalé la gelée sucrée. Ce n'était pas si mauvais !

— Tu devrais manger toi aussi et retourner à l'hôtel prendre une douche, dis-je à Tolliver, qui me contemplait d'un air atterré.

— Je ne bougerai pas d'ici tant que je n'aurai pas discuté avec le médecin. L'infirmière m'a promis qu'il passerait d'ici peu.

L'homme aux cheveux gris et aux lunettes cerclées de la veille s'appelait Thomason. Il ne s'était pas couché.

— Une soirée animée pour Doraville, avoua-t-il. Je suis de garde aux urgences trois nuits par semaine et jamais je n'ai eu à travailler aussi dur.

— Merci d'avoir pris soin de moi, murmurai-je, bien que ce fût son boulot.

— De rien. Au cas où vous ne vous en souviendriez pas, je vous ai expliqué, à vous et à votre frère, que vous aviez une fissure du cubitus. Il est craquelé mais pas complètement fracturé. Cette attelle le protégera. Mettez-la vingt-quatre heures sur vingt-quatre si possible pendant quelques semaines. Quand vous quitterez l'hôpital, on vous indiquera où vous présenter pour un examen de vérification. Vous allez avoir mal pendant deux ou trois jours. Ajoutez à cela la commotion cérébrale, vous aurez besoin d'antalgiques puissants. Par la suite, le paracétamol devrait suffire.

— Est-ce que je peux me lever et marcher un peu ?

— Si vous vous en sentez la force et à condition d'être accompagnée, je vous autorise une ou deux promenades jusqu'au bout du couloir. Naturellement, si vous avez des vertiges ou des nausées, vous devrez vous recoucher.

— Elle parle déjà de quitter l'hôpital, dit Tolliver d'un ton qu'il espérait neutre.

Raté !

— Je vous le déconseille, répliqua le médecin.

Il porta son regard de l'un à l'autre. Je devais avoir l'air morose.

— Votre frère aussi doit se reposer. Il va devoir s'occuper de vous, jeune fille. Lâchez du lest. Votre place est ici, où nous pouvons vous surveiller. Vous avez au moins une assurance de base, il me semble ?

À quoi bon discuter ? Seule une personne mauvaise refuserait un temps de récupération à son frère. Or j'espère être quelqu'un de pas trop mauvais. Le Dr Thomason comptait là-dessus. Tolliver aussi.

J'envisageai un moment de me comporter de façon si désagréable que l'hôpital serait enchanté de se débarrasser de moi. Mais cela ne servirait qu'à contrarier Tolliver. Je le dévisageai longuement, vis les cernes sous ses yeux, ses épaules voûtées. Il paraissait plus âgé que ses vingt-huit ans.

— Tolliver...

Il vint vers moi et me prit la main. Je pressai ses phalanges contre ma joue et le rayon de soleil se posa sur mon visage. Je l'aimais plus que tout mais il ne fallait pas qu'il le sache.

— Dans ce cas, décréta brusquement le Dr Thomason, je vous verrai demain matin. Vous pouvez manger normalement, je le signalerai à l'administration. Restez tranquille aujourd'hui.

Sur ce, il disparut et je lâchai les doigts de Tolliver.

— Je vais me doucher, déjeuner et faire une sieste. N'essaie pas de descendre de ton lit en mon absence. Promets-moi d'appeler l'infirmière.

— Je te le promets.

Pourquoi étaient-ils tous persuadés que j'enfreindrais les règles dès qu'ils auraient le dos tourné ? Certes, j'ai été foudroyée quand j'avais quinze ans mais je ne me considère pas comme une rebelle, une semeuse de zizanie, une fomenteuse de troubles ou autre agitatrice.

Après le départ de Tolliver, je me sentis désemparée. Je n'avais rien à lire. Tolliver m'avait promis de revenir avec mon bouquin. Je n'étais pas certaine de pouvoir me concentrer. J'aurais dû lui demander de m'apporter un livre audio ainsi que mon lecteur de CD et mon casque.

Je ruminai une dizaine de minutes puis scrutai soigneusement le panneau de contrôle auprès de mon lit.

Je réussis à allumer la télévision. Je tombai sur la chaîne interne de l'hôpital et suivis des yeux les gens qui entraient et sortaient du hall d'entrée. J'ai beau avoir un seuil relativement élevé de tolérance à l'ennui, je me lassai vite. Je zappai sur une chaîne d'information continue. Et je le regrettai aussitôt.

La modeste maison délabrée dans son environnement pittoresque ne ressemblait en rien à celle que j'avais vue la veille. Je me rappelai combien le site m'avait paru isolé. Après tout, un cinglé avait réussi à y enterrer huit adolescents sans que personne le sache. Désormais, on ne pouvait plus éternuer sur le site sans que quatre journalistes se précipitent avec leurs micros.

Le reportage devait être récent car le soleil semblait à peu près dans la même position que celui que je voyais par ma fenêtre. À propos, j'étais contente qu'il soit apparu, celui-là. Dommage que je ne puisse pas en profiter dehors, quoique… vu la façon dont ils étaient tous emmitouflés, la température n'avait pas dû remonter.

J'ignorai le commentaire pour scruter les personnages derrière le présentateur. Certains étaient en uniforme, d'autres en combinaison. Ceux-là devaient être les experts du SBI. J'aperçus deux hommes en costume : Klavin et Stuart, sans aucun doute. Je me félicitai d'avoir retenu leurs noms.

Combien de temps s'écoulerait-il avant qu'on ne vienne me voir ? Pourvu qu'aucun journaliste ne se mette en tête de m'interviewer. Si le médecin me libérait demain, nous quitterions la ville, histoire de mettre un peu de distance entre nous et les crimes.

Je réfléchissais à tout cela depuis plusieurs minutes quand l'inévitable frappa à ma porte.

Deux costards-cravates. Exactement le contraire de ce dont j'avais envie.

— Je suis Pell Klavin et voici Max Stuart, déclara le plus petit des deux.

Âgé d'environ quarante-cinq ans, il était mince et bien habillé. Ses cheveux commençaient à grisonner et ses chaussures étaient cirées à la perfection. Il portait des lunettes.

— Nous sommes du SBI, précisa l'agent Stuart.

Plus jeune et plus blond, il était aussi élégant que son collègue.

J'opinai et m'en voulus immédiatement. Penaude, j'effleurai le bandage autour de ma tête. J'avais mal au bras gauche.

— Mademoiselle Connelly, nous avons appris que vous aviez été agressée hier soir, dit Stuart.

— Oui.

J'étais furieuse contre moi d'avoir expédié Tolliver au motel et je lui en voulais de m'avoir prise au mot.

— Nous en sommes affligés, assura Klavin d'un ton mielleux qui me donna envie de vomir. Pouvez-vous nous dire pourquoi on vous a agressée ?

— Non. C'est probablement en rapport avec les tombes.

— Je suis content que vous évoquiez ce sujet, intervint Stuart. Pouvez-vous nous expliquer comment vous avez fait pour les trouver ? De quelles informations disposiez-vous au préalable ?

— Aucune.

Apparemment, l'agression ne les intéressait déjà plus. En toute franchise, je pouvais les comprendre. J'avais survécu. Huit jeunes garçons n'avaient pas eu cette chance.

— Comment saviez-vous qu'ils étaient à cet endroit ? s'enquit Klavin, les sourcils arqués. Connaissiez-vous l'un d'entre eux ?

— Non. Je n'étais jamais venue ici auparavant.

61

Je retins un soupir. Je savais exactement comment cette conversation allait se dérouler. C'était inutile. Ils ne me croiraient pas, ils s'acharneraient à me soupçonner de leur mentir, perdraient du temps et gaspilleraient l'argent des contribuables en essayant d'établir un lien entre l'un des garçons et moi, ou entre l'assassin et moi. Ce lien n'existait pas.

Je m'agrippai à la couverture.

— Je ne connaissais aucun de ces jeunes. Je ne sais pas non plus qui les a tués. Je suis certaine que le shérif pourra vous remettre un dossier à mon sujet. Pouvons-nous estimer que nous n'avons plus rien à nous dire ?

— Je crains que non, riposta Klavin.

Je laissai échapper un grognement.

— Allons, messieurs, lâchez-moi les baskets ! Je suis dans un état pitoyable, j'ai besoin de dormir et je n'ai rien à voir avec votre enquête. Je les ai trouvés, point final. À partir de là, la balle est dans votre camp.

— Vous êtes en train de nous affirmer que vous retrouvez des cadavres par hasard, dit Stuart, sceptique.

— Par hasard, certainement pas ! Ce serait absurde.

Je n'aurais pas dû réagir. Ils voulaient me faire parler dans l'espoir que je finirais par leur révéler mon grand secret. Ils n'accepteraient jamais le fait que je disais la vérité.

— Absurde ? répéta Stuart. Vous vous fichez de...

— Vous êtes... ? s'enquit un jeune homme sur le seuil.

Je crus rêver.

— Manfred ?

J'étais complètement déstabilisée. Un rayon de soleil fit scintiller son piercing au sourcil (droit), à la narine (gauche) et aux oreilles (les deux). Manfred Bernardo avait rasé sa barbichette mais conservé ses cheveux courts, hérissés et blond platine.

62

— Oui, ma chérie, je suis venu aussi vite que possible.

Il avança à mon chevet avec la grâce d'un gymnaste et saisit ma main libre, celle qui n'était pas reliée à la perfusion. Il la porta à ses lèvres et l'effleura d'un baiser. Le clou dans sa langue m'écorcha les doigts.

— Comment te sens-tu ? me demanda-t-il en me regardant droit dans les yeux.

Je compris le message.

— Pas très bien, avouai-je. Tolliver a dû te parler de la commotion cérébrale ? De la fracture du bras ?

— Et ces messieurs t'asticotent alors que tu souffres le martyre ?

— Ils refusent de me croire, geignis-je.

Manfred pivota vers eux et haussa le sourcil au piercing.

Stuart et Klavin contemplaient mon visiteur avec un mélange de stupéfaction et de dégoût. Klavin remonta ses lunettes sur son nez et Stuart arbora une moue comme s'il venait de mordre dans un citron.

— Vous êtes… ? susurra Stuart.

— Manfred Bernardo, le meilleur ami de Harper.

Je dus faire un effort pour rester impassible et résistai à la tentation d'arracher ma main à celle de Manfred.

— D'où êtes-vous, monsieur Bernardo ? questionna Klavin.

— Du Tennessee. Je suis venu aussi vite que possible.

Manfred se pencha pour m'embrasser sur la joue, puis se redressa avant d'enchaîner :

— Harper n'est pas en état de vous répondre, messieurs, asséna-t-il en les observant tour à tour, impavide.

— Il me semble que si, riposta Stuart.

Mais lui et Klavin échangèrent un coup d'œil.

— Je ne suis pas de votre avis, insista Manfred.

Il avait au moins vingt ans de moins que Klavin, il était plus petit que Stuart – Manfred est très mince et mesure environ un mètre soixante-dix-huit – mais malgré ses tatouages et ses bijoux, il respirait l'autorité et la force.

Je fermai les yeux. J'étais épuisée et j'avais très envie de rire aux éclats.

— Nous vous laissons, concéda Klavin, manifestement agacé. Mais nous reviendrons voir Mlle Connelly.

— À bientôt ! lança poliment Manfred.

Bruits de pas traînants... porte qui s'ouvrait, qui se refermait... Je rouvris les yeux. Le visage de Manfred était à quinze centimètres du mien. Il s'apprêtait à m'embrasser. Ses yeux bleus brillaient de désir.

— Non, non, non, mon vieux. Pas si vite.

Il s'écarta.

— Que me vaut cet honneur ? Ta grand-mère va bien ?

Xylda Bernardo était une pseudo-voyante excentrique dotée d'un certain talent. Je l'avais vue pour la dernière fois à Memphis ; à l'époque, elle était si frêle mentalement et physiquement que Manfred l'avait amenée en personne nous rencontrer.

— Elle est au motel. Elle a tenu absolument à m'accompagner. Nous sommes arrivés hier soir. J'ai l'impression que nous avons eu la dernière chambre de libre à Doraville, voire dans un rayon de cent kilomètres. Un journaliste avait renoncé à sa réservation parce qu'il avait trouvé mieux ailleurs et grand-mère m'a poussé à sauter sur l'occasion. Elle sait encore se rendre utile de temps en temps.

Il s'assombrit.

— Elle décline de jour en jour.

— Je suis désolée.

Je faillis lui demander de quoi elle souffrait mais c'eût été stupide. Quelle importance ? Je connais la mort par cœur et je l'avais vue inscrite sur le visage de Xylda.

— Elle refuse d'aller à l'hôpital. Elle ne veut pas gaspiller son argent d'autant qu'elle déteste l'ambiance.

J'acquiesçai. Je comprenais. Je n'étais pas folle de joie de m'y trouver alors que j'étais certaine d'en sortir debout.

— Elle se repose, reprit Manfred. J'ai donc décidé de passer prendre de tes nouvelles et j'ai découvert le Duo Dynamique. J'ai pensé qu'ils m'écouteraient si je déclarais être ton petit ami. Histoire d'en imposer un peu.

Je ne m'attardai pas sur ce sujet.

— Que faisiez-vous dans la région ?

— Grand-mère a dit que tu avais besoin de nous.

Il eut un mouvement des épaules mais il avait foi en elle.

— Elle ne serait pas mieux à la maison ?

J'éprouvai un sentiment de culpabilité à l'idée que Xylda avait parcouru tout ce chemin jusqu'à cette petite ville perdue dans les montagnes sous prétexte que j'avais besoin d'elle.

— Si, mais elle aurait tourné en rond en pensant à sa propre mort. Elle a voulu venir – nous sommes venus.

— Vous saviez où nous étions ?

— J'aimerais pouvoir te dire que grand-mère a eu une vision mais en fait, on vous a traqués grâce à un site Web.

— Quoi ?

J'étais sidérée.

— Vous avez un site Web consacré à toi et à tes activités. Les gens écrivent quand ils t'ont reconnue quelque part.

Ça me fait une belle jambe.

— Pourquoi ?

— Tu es de celles qui attisent la curiosité, rétorqua Manfred. Les internautes veulent savoir où tu es et ce que tu as trouvé.

— Bizarre.

J'étais franchement perplexe.

— Ce que nous faisons l'est aussi.

— Donc, on a annoncé sur l'Internet que je suis à Doraville, Caroline du Nord ?

Tolliver était-il au courant ? Pourquoi ne m'en avait-il jamais touché un mot ?

— Il y a même deux ou trois photos de toi, prises ici même, probablement avec un téléphone portable.

— Je n'en reviens pas ! soufflai-je.

Je secouai la tête. Aïe !

— Tu veux en discuter ? De ce qui s'est passé ici ?

— Si c'est à toi que je m'adresse et non à un site Web... Excuse-moi, m'empressai-je d'ajouter. Qu'on me poursuive partout sans que je le sache me contrarie.

— Raconte-moi comment tu t'es blessée, m'encouragea-t-il en prenant place dans le fauteuil où Tolliver s'était endormi.

Je lui relatai mon expédition, mes conversations avec Twyla Cotton et le shérif, les dépouilles des huit garçons dans la terre glacée.

— Un autochtone enlève des adolescents depuis des années et personne ne s'en est jamais rendu compte ?

— Difficile à croire, je sais. Mais l'explication du shérif nous a paru presque plausible : tous ces jeunes étaient en âge de fuguer.

Il y eut un silence. Je faillis demander le sien à Manfred.

— Vingt et un.

Je sursautai.

— J'ai un petit don, affirma-t-il, faussement modeste.

66

— Xylda a un côté charlatan, déclarai-je, trop fatiguée pour faire preuve de tact. Mais dans le fond, c'est une femme bien.

Il s'esclaffa.

— Oui. C'est même une femme remarquable.

— Je suis incapable de te cerner, marmonnai-je.

— Je m'exprime plutôt pas mal pour un marginal tatoué, non ?

Je souris.

— Tu t'exprimes plutôt pas mal, point. Et j'ai trois ans de plus que toi.

— Tu as vécu trois ans de plus mais je te garantis que mon âme est plus vieille que la tienne.

Pour l'heure, je n'étais pas en mesure d'apprécier la distinction.

— Je crois que je vais m'assoupir.

Je ne m'attendais pas à ce que le sommeil me gagne avant même d'avoir pu remercier Manfred de sa visite.

Le corps a besoin de repos pour se remettre, le mien plus que d'autres. Je ne sais pas si cela a un rapport ou non avec le fait que la foudre ait traversé mon système. Nombre de victimes de foudroiement sont insomniaques mais je n'ai jamais eu ce problème. D'autres survivants avec qui j'ai échangé sur le Net subissent toute une variété de symptômes : convulsions, perte de l'ouïe, difficultés d'élocution, vision brouillée, accès de rage incontrôlables, faiblesse des membres, trouble déficitaire de l'attention. Évidemment, l'un ou plusieurs de ces facteurs peuvent engendrer des complications supplémentaires, toutes négatives. Chômage, divorce, fortunes dilapidées dans la quête d'une guérison ou au moins d'un palliatif.

Je serais peut-être moi-même dans un atelier pour handicapés si je n'avais pas bénéficié de deux atouts. Le premier, c'est mon don ; le deuxième, c'est Tolliver qui m'a ranimée sur place. Tolliver, qui croit en moi et m'a aidée à développer un moyen de gagner ma vie grâce à ce cadeau encombrant.

Je n'avais pas dû dormir plus de trente minutes pourtant, lorsque je me réveillai, Manfred était parti, Tolliver était de retour et le soleil s'était caché derrière les nuages. Il était presque onze heures d'après la pendule accrochée au mur et j'entendais le chariot des repas dans le couloir.

— Tu te rappelles la fois où nous sommes allés chercher un sapin de Noël, Tolliver ?

— Oui, l'année où nous avons tous emménagé ensemble. Ta mère était enceinte.

Nous étions serrés comme des sardines : ma sœur aînée, Cameron et moi dans une chambre, Tolliver et son frère Mark dans une autre, le père de Tolliver et ma mère dans la troisième. Sans compter le défilé incessant de paumés. Mais nous, les enfants, avions décidé que nous voulions un sapin et nos parents s'en fichaient. Nous nous sommes donc aventurés dans le bois pour en couper un. Nous avons récupéré un support abandonné dans une benne à ordures et Mark l'a réparé.

— C'était amusant.

Mark, Tolliver, Cameron et moi nous sommes rapprochés au cours de cette expédition. Au lieu de n'être que des enfants vivant sous le même toit, nous avons formé un front uni contre nos parents. Nous sommes devenus notre propre groupe de soutien. Nous nous sommes couverts les uns les autres, nous avons menti pour préserver notre famille, surtout après les naissances de Mariella et de Gracie.

— Elles n'auraient pas survécu si nous n'avions pas été là, murmurai-je.

68

Tolliver me dévisagea un instant sans comprendre, puis rattrapa le fil de mes pensées.

— Non. Nos parents étaient incapables de s'en occuper. Mais ce fut mon plus beau Noël. Ils sont même allés nous acheter des cadeaux, tu t'en souviens ? Mark et moi aurions préféré mourir plutôt que d'avouer combien nous étions heureux de vous avoir Cameron, toi et ta mère. Elle n'était pas si mal, à l'époque. Elle s'efforçait de surveiller sa santé pour le bébé. Je me rappelle aussi que des bénévoles de la paroisse nous ont apporté une dinde.

— Elle n'était pas mauvaise.

Cameron avait déniché un recueil de recettes et prétendu que nous étions aussi capables que n'importe qui de lire des instructions. Après tout, nos parents avaient exercé la profession d'avocat avant de sombrer dans les vices de ceux qu'ils défendaient. Nous n'étions pas bêtes. Par chance, l'ouvrage était destiné aux débutants et nous avions réussi à rôtir l'oiseau à la perfection. Certes, la farce était toute faite, la sauce aux airelles sortait d'une boîte de conserve, nous avions acheté une tarte à la citrouille surgelée et un bocal de haricots verts.

— Elle était même bonne.

Il avait raison. Nous nous étions régalés.

Ce jour-là, Cameron nous a portés à bout de bras. Ma sœur aînée était jolie et intelligente. Nous ne nous ressemblions pas du tout. De temps en temps, je me demandais si nous étions vraiment sœurs, vu la manière dont ma mère avait tourné. On ne perd pas tout sens moral du jour au lendemain, n'est-ce pas ? Ça se passe sur la durée. Je me surprends parfois à penser que celui de ma mère a commencé à s'éroder quelques années avant qu'elle et mon père ne se séparent. Je me trompe peut-être. Je l'espère. Quand Cameron a disparu, j'ai eu l'impression que mon existence venait d'être coupée en deux. Il y a l'avant-Cameron, où les choses allaient mal mais demeuraient tolérables et l'après-Cameron, où tout s'est écroulé : j'ai atterri dans une famille d'accueil, mon beau-père et ma mère en prison, Tolliver est allé s'installer chez Mark. Mariella et Gracie se sont retrouvées chez tante Iona et son mari.

Le sac à dos de Cameron, laissé au bord de la route le jour où elle s'est volatilisée en rentrant du lycée, est toujours dans notre coffre. La police nous l'a rendu au bout de quelques années. Nous l'emportons partout avec nous.

Je bus une gorgée d'eau de mon gobelet en plastique vert. À quoi bon songer à ma sœur ? Je me suis résignée depuis longtemps : elle est morte. Mais un jour, je la retrouverai.

Aujourd'hui encore, il m'arrive d'apercevoir une jeune fille de petite taille aux longs cheveux blonds, à la démarche gracile, au nez droit. Je dois me retenir de l'interpeller. Si Cameron est encore vivante, elle a forcément beaucoup changé. Elle n'est plus parmi nous depuis... voyons, le printemps de son année de terminale, quand elle avait dix-huit ans. Seigneur ! Elle aurait bientôt vingt-six ans. Huit ans, déjà.

— J'ai appelé Mark, annonça Tolliver.

— Tant mieux. Comment va-t-il ?

Tolliver ne téléphone pas assez souvent à son frère. Je ne sais pas si c'est un truc de garçon ou s'ils se sont disputés.

— Il te souhaite une prompte guérison.

Tolliver éludait ma question.

— Il est toujours satisfait de son travail ?

Mark a été promu à plusieurs reprises. Il a été plongeur, serveur, cuisinier et désormais, il est le gérant d'un restaurant de chaîne de type familial à Dallas. Depuis au moins cinq ans. Pour quelqu'un qui a loupé ses études universitaires, il se débrouille bien.

— Il va avoir trente ans, fit remarquer Tolliver. Il devrait fonder un foyer.

Je me gardai de réagir. Tolliver n'a que deux ans et quelques mois de moins.

— Il a une petite amie ?

Je devinais d'avance la réponse.

— S'il en a une, il n'a rien dit... À propos, reprit-il après une courte pause, j'ai croisé Manfred au motel.

— Oui, il est passé. Apparemment, Xylda a eu une vision et a décidé que sa place était auprès de moi. Il m'a confié qu'elle est mourante. Je suppose qu'il cède à toutes ses volontés. Le petit-fils idéal.

Tolliver me dévisagea d'un air sceptique.

— Mais oui, bien sûr. Comme par hasard, Xylda a reçu un message des cieux lui indiquant qu'une femme dont Manfred est amoureux – il en pince pour toi, ne fais pas semblant de l'ignorer – a besoin de son aide. Tu ne crois pas qu'il y est pour quelque chose ?

J'étais vaguement choquée.

— Non. S'il est là, c'est parce que Xylda y tenait.

Tolliver ricana. L'espace d'une seconde, j'eus un élan de haine envers lui. Il se leva brutalement et tourna en rond dans la chambre.

— Je parie qu'il est pressé que sa grand-mère meure. Il n'aura plus à la trimballer ici et là et pourra te proposer ses services en tant qu'agent.

— Tolliver !

Il se tut. Enfin.

— C'est méchant, protestai-je.

— Tu es aveugle, Harper.

— Tu vois des choses qui n'existent pas. Je ne suis pas idiote. Je sais que Manfred m'apprécie. Je sais aussi qu'il aime profondément sa grand-mère et qu'il ne l'aurait pas emmenée jusqu'ici par ce temps, surtout dans l'état où elle est, si elle ne l'avait pas supplié.

Tolliver baissa le nez, renfrogné. J'eus la sensation que j'étais sur le point de prononcer des paroles que je regretterais. Quant à Tolliver, il semblait anéanti. Je sais lire les secrets des morts mais à cet instant, j'étais incapable de déchiffrer ceux de mon frère. Je n'étais pas certaine d'en avoir envie.

— Ce dernier Noël entre nous, juste toi et moi... c'était bien.

C'est alors que l'infirmière nous interrompit pour prendre ma température et ma tension. Tolliver défroissa ma couverture et je m'enfonçai dans mes oreillers.

— Il pleut de nouveau, constata l'infirmière en jetant un coup d'œil sur le ciel plombé. Ça ne s'arrêtera donc jamais ?

Nous n'avions pas d'opinion sur la question.

Le shérif passa dans l'après-midi. Elle portait des vêtements chauds et ses bottes étaient maculées de boue. Je me dis que je n'étais peut-être pas si mal dans cet hôpital quand d'autres étaient en train de creuser une terre gelée en quête d'indices en respirant les odeurs pestilentielles de cadavres à divers stades de décomposition ou d'annoncer la terrible nouvelle aux familles.

Sandra Rockwell devait penser la même chose que moi. Elle commença par me sermonner.

— Je vous serais reconnaissante de ne pas recevoir vos amis en mal de publicité, attaqua-t-elle.

— Je suis désolée.

— Votre amie médium, je ne me rappelle plus son nom...

— Xylda Bernardo, dit Tolliver.

— Elle a fait une scène au poste de police.

— Quel genre de scène ? m'enquis-je.

— Elle racontait à qui voulait l'écouter qu'elle avait prédit votre découverte, que c'était elle qui vous avait envoyée ici, qu'elle savait que vous seriez blessée.

72

— Mensonges, riposta Tolliver.

— Je m'en doute. Cependant, elle embrouille tout. Vous débarquez, nous sommes tous dubitatifs, nous imaginons le pire. Seulement voilà, vous découvrez les garçons et nous savons que vous n'aviez aucune idée de l'endroit où ils étaient enterrés.

Je poussai un soupir discret.

— Puis elle surgit de nulle part. Elle fait son numéro, le petit-fils se contente de sourire.

Il n'avait guère d'autre solution.

— De surcroît, on dirait qu'elle va claquer d'une minute à l'autre. Notez que c'est un supplément de revenus pour notre hôpital, ajouta-t-elle d'un ton plus enjoué.

On frappa à la porte et un homme apparut, le poing en l'air.

— Tiens ! Shérif ! s'exclama-t-il, étonné.

— Barney !

— Je vous dérange ?

— Non, non. Je m'en allais. Je retourne dans le froid et l'humidité, enchaîna-t-elle en enfilant ses gants.

Quel était le véritable but de sa visite ? Se plaindre de Xylda ? Je n'étais pas convaincue. Après tout, qu'y pouvions-nous ?

— Êtes-vous venu jeter Mlle Connelly dehors ?

— Très drôle. Non, il s'agit d'une visite de courtoisie. Je vais voir chacun des patients au bout de leur première journée parmi nous pour savoir si tout se passe convenablement, écouter leurs doléances – parfois même leurs compliments.

Il nous gratifia d'un large sourire.

— Barney Simpson, administrateur de l'hôpital, à *votre* service. Mademoiselle Connelly, je présume ?

Il me serra la main avec délicatesse parce que j'étais la malade.

— Et vous êtes… ?

— Son agent, Tolliver Lang.

Je m'efforçai de masquer ma surprise. Je n'avais jamais entendu Tolliver se présenter ainsi.

— Je ne vous demande pas si vous appréciez votre séjour à Doraville.

Il fit mine d'être attristé. Grand, replet, il avait des cheveux noirs désordonnés et un visage avenant.

— Toute la communauté est en deuil mais quel soulagement d'avoir enfin retrouvé ces garçons.

De nouveau, on frappa.

— Oh, pardon ! Je reviendrai plus tard.

— Non, non, mon père. Entrez. Je faisais juste un saut au cas où ces personnes auraient des questions concernant le fonctionnement de l'hôpital. La routine, conclut Barney Simpson.

— Je dois regagner le site, décréta le shérif Rockwell.

Inutile de préciser lequel. À Doraville, il n'y en avait qu'un.

— Eh bien…

Le nouveau venu était aussi hésitant que Simpson était assuré. Petit, pâle et maigre, il avait le teint lisse et un sourire angélique. Il serra les mains de Rockwell et de Simpson avant de nous accorder toute son attention.

— Je suis le pasteur Doak Garland.

Re-poignées de main. Un rituel fatigant, à la fin.

— Église baptiste du Mont Ida, route 114. Je suis le chapelain de l'hôpital cette semaine. Les prêtres locaux se relaient et vous avez la malchance de tomber sur moi.

— Je suis Tolliver Lang et j'accompagne cette jeune femme, Harper Connelly. Elle retrouve les cadavres.

Doak Garland fixa ses pieds comme pour dissimuler son malaise. Quelle mouche avait piqué Tolliver ?

74

— Oui, monsieur. J'ai entendu parler de vous. Je suis le pasteur de Twyla Cotton et elle m'a expressément demandé de vous rendre visite. Nous tiendrons une séance de prières demain soir. Si vous êtes sortie d'ici, nous serions heureux de vous y accueillir. L'invitation vient du fond du cœur. Nous sommes soulagés de savoir ce qui est arrivé à Jeff. Au bout d'un moment, que la nouvelle soit bonne ou mauvaise, c'est tout ce qui compte.

J'étais d'accord avec lui. J'opinai.

— Puisque c'est vous qui l'avez découvert, nous espérons que vous serez assez en forme pour assister à cette cérémonie. Je ne mentirai pas en prétendant que nous ne nous interrogeons pas à propos de votre don mais vous l'avez utilisé pour la gloire de Dieu et pour le réconfort de notre sœur Twyla, ainsi que Parker, Bethalynn et Carson. Nous voulons vous remercier.

Au nom de Dieu ? Je ravalai un fou rire.

— Merci, bredouillai-je en cherchant en vain une excuse pour refuser.

— Si le médecin libère Harper demain, nous serons là, assura Tolliver.

Aucun doute possible : il était possédé par un extra-terrestre.

Doak Garland parut un peu ahuri mais joua le jeu :

— J'en suis enchanté. À demain soir, dix-neuf heures. Si vous avez besoin d'indications pour vous y rendre, téléphonez-moi.

Professionnel jusqu'au bout des ongles, il sortit une carte de visite de sa poche et la tendit à Tolliver.

— Merci.

— Merci, renchéris-je.

Enfin seuls ! J'étais fatiguée mais j'avais besoin de marcher. Je demandai à Tolliver de m'aider à descendre du lit et de me soutenir pendant que j'arpentais le couloir. Personne ne nous prêta attention, ce qui me réjouit. Visiteurs et patients avaient leurs propres soucis et angoisses. Une jeune femme de plus ou de moins attifée d'une horrible blouse verte ne suffirait pas à les distraire.

— Je ne sais pas quoi te dire, avouai-je en revenant vers ma chambre. Quelque chose ne va pas ? Tu te comportes d'une drôle de façon.

Je l'observai à la dérobée. Apparemment, il était pris de court.

— Je sais que le mieux serait de nous en aller.

— Alors pourquoi avoir accepté l'invitation du pasteur ?

— Parce que je crains que la police nous interdise de partir tout de suite et que je veux avoir du monde autour de nous. Quelqu'un a essayé de te tuer. Les flics sont tellement obsédés par leur enquête que ça ne les intéresse pas de courir après ton agresseur. Or je suis presque certain que c'est le type qui a assassiné les adolescents. Sinon, pourquoi tant de rage, pourquoi avoir pris un tel risque ? Tu as mis fin à son jeu, il s'est fâché et il veut t'éliminer. Il a failli réussir. Est-ce que tu te rends compte de la chance que tu as de t'en être sortie avec une commotion cérébrale et un bras cassé ?

De la part de Tolliver, c'était un long discours. Il le délivra à voix basse, par saccades pour éviter d'éveiller la curiosité des passants. Lorsque nous fûmes devant la porte de ma chambre, je lui signalai d'un geste que je voulais poursuivre jusqu'à l'autre bout du couloir opposé. Je ne dis rien. J'étais furieuse mais je ne savais pas sur qui passer ma colère. Tolliver avait parfaitement raison.

Nous nous immobilisâmes devant la baie vitrée. La pluie s'était transformée en un méchant mélange de neige et de grêle. Ô joie ! Les pauvres bougres de la police scientifique ! Peut-être abandonneraient-ils la partie pour se réfugier dans leurs voitures.

Je marchais très lentement. Alors que nous nous rapprochions de nouveau de ma chambre, je n'avais toujours aucune inspiration.

— Je pense que… Mais…

J'aurais voulu lui dire : *Tu évites le problème de ton hostilité envers Manfred et sa grand-mère. Pourquoi lui en veux-tu de s'intéresser à moi ? Pourquoi Manfred plus que n'importe qui d'autre qui a tenté de me séduire ?* Je me tus. Tolliver ne me pria pas de terminer ma phrase.

J'étais ravie de retrouver mon lit et je m'y appuyai lourdement tandis que Tolliver remettait le pied à sérum en place. Il m'aida à m'asseoir, ôta mes pantoufles et me poussa doucement sur le dos. Nous tirâmes draps et couvertures.

Il avait apporté un livre pour lui et un autre pour moi, au cas où ma tête irait mieux. Nous nous plongeâmes dedans pendant une heure environ, bercés par le crépitement des grêlons contre la vitre. Tout l'hôpital semblait s'être assoupi. Je consultai la pendule. Bientôt, les employés quitteraient leur bureau pour rendre visite à leurs proches. La circulation s'intensifierait dans le corridor. Ensuite, ce serait la distribution des repas, puis celle des médicaments. Le calme reviendrait lorsqu'il ne resterait plus que les membres de l'équipe médicale, les patients et les quelques âmes dévouées qui acceptaient de dormir dans un fauteuil auprès de leur malade.

Tolliver me demanda si je souhaitais qu'il reste. J'allais mieux et sa proposition me toucha. J'étais tentée d'accepter. Car j'avais peur.

Ce n'était pas une raison pour le condamner à une deuxième nuit blanche d'affilée.

— Rentre au motel. Si j'ai un souci, je sonnerai l'infirmière.

Qui mettrait sans doute trente minutes avant de venir. Comme tant d'autres, ce petit hôpital manquait cruellement de personnel. Même les techniciens de surface se dépêchaient, tellement ils étaient débordés.

— Tu es certaine ? Vu le nombre de journalistes qui y sont descendus, je serais peut-être plus tranquille ici.

Il n'avait pas mentionné ce détail.

— En effet, murmurai-je. J'ai sans doute de la chance dans mon malheur.

— Absolument. En ce qui me concerne, je dois feindre de ne pas être là. Une femme a frappé à ma porte pendant vingt minutes ce matin.

Un sentiment de culpabilité me submergea.

— Je suis désolée. Je ne pensais plus à la presse.

— Tu n'y es pour rien. Cette affaire te rapporte une sacrée publicité, tu sais. C'est pourquoi...

Il se renferma sur lui-même. Il pensait à Manfred et à Xylda, convaincu que Xylda était en ville uniquement pour profiter de la situation. Non, je ne suis pas voyante. Je connais Tolliver par cœur, voilà tout.

— En d'autres circonstances, j'aurais soupçonné Xylda d'avoir une idée derrière la tête, dis-je. Mais elle est si frêle et Manfred était si réticent à l'amener...

— Qu'il dit, railla Tolliver.

— Oui, qu'il dit. Et tu sembles le croire capable de traîner sa grand-mère malade jusqu'à l'autre bout du pays dans le seul but de satisfaire son désir pour moi. Pas moi.

Je regardai Tolliver droit dans les yeux. Au bout d'une seconde, il rougit, gêné.

— D'accord, il aime vraiment cette vieille folle. Et à ma connaissance, il prend soin d'elle.

Il n'en rajouterait pas mais c'était déjà mieux que rien. Je ne tenais pas du tout à ce que Tolliver et Manfred se disputent.

— Ils sont à notre motel ?

— Oui. Toutes les chambres de la ville sont louées. La route qui mène vers la montagne est quasiment coupée au trafic pour permettre aux camionnettes de se garer. Une seule voie est libre, et ils ont posté des gars avec des walkies-talkies de part et d'autre du goulet.

Une fois de plus, je me sentis coupable, comme si j'étais responsable de ce chaos. La faute en revenait au meurtrier, bien sûr, mais il ne devait guère s'en inquiéter.

Je me demandai à quoi il pouvait bien penser. Il s'était défoulé sur moi.

— Il va faire profil bas maintenant.

Tolliver comprit à qui je faisais allusion.

— Il sera prudent, concéda-t-il. S'il s'en est pris à toi, c'est uniquement dans un sursaut de rage parce que son jeu avait pris fin. Il a dû se calmer depuis. Il se méfie des flics.

— Il n'a pas de temps pour moi.

— Non. Mais cet individu est un psychopathe, Harper. On ne peut jamais prévoir leurs agissements. J'espère qu'on te libérera demain. Si tu te sens suffisamment en forme et si les gars du SBI en finissent avec leurs questions, nous pourrons quitter Doraville.

— Ce serait bien.

Tolliver m'étreignit avant de partir. Il s'achèterait de quoi manger sur la route du motel et resterait dans sa chambre toute la soirée afin d'éviter les reporters.

— Remarque, il n'y a nulle part où aller. Dommage qu'on ne travaille pas plus souvent dans des grandes villes.

— Je me suis posé la question. Nous avons eu une mission à Memphis, une autre à Nashville. Avant cela, il y a eu St. Paul. Sans oublier ce cimetière à Miami.

— Mais l'essentiel de nos activités se déroule dans des trous perdus.

— Je ne me l'explique pas. N'avons-nous jamais travaillé à New York ?

— Bien sûr que si, tu ne te rappelles pas ? Mais pour toi, c'était trop éprouvant car c'était juste après le 11 Septembre.

— Mon inconscient me protège.

Ground Zero... l'une des pires expériences de ma carrière.

— Plus jamais, tranchai-je.

— Oui. Exit New York...

Nous nous dévisageâmes longuement.

— Bon. Je file. Essaie de manger ton dîner et de dormir. Tu seras peut-être moins dérangée par les infirmières cette nuit, puisque tu vas mieux.

Il s'affaira encore une minute ou deux, s'assurant que la table roulante était correctement positionnée, la débarrassant pour mon plateau-repas, me montrant la télécommande encastrée dans la barrière du lit, poussant le téléphone jusqu'au bord de la table de chevet pour que je puisse décrocher plus facilement. Il rangea mon portable dans le tiroir.

— Appelle-moi quand tu veux.

Je m'assoupis jusqu'à ce que l'on m'apporte mon dîner. J'ai honte de l'admettre, mais j'ai presque tout mangé. Ce n'était pas infect. Et j'avais terriblement faim.

Un médecin inconnu apparut pour m'annoncer que je pourrais probablement rentrer chez moi dans la matinée. Il semblait fort peu soucieux de savoir qui j'étais et où j'habitais. Il était harassé comme ses confrères. À en juger par son accent, il n'était pas du coin. Je me demandai ce qui avait pu l'inciter à s'installer à Doraville. Je songeai qu'il appartenait au même stock d'urgentistes que le Dr Thomason.

Heather Sutcliff, une très jeune femme, assistante de Barney Simpson, arriva peu après.

— M. Simpson voulait que je prenne de vos nouvelles. De nombreux journalistes souhaitent vous interviewer mais pour la tranquillité des autres patients, nous leur avons refusé tout droit de visite. D'autre part, nous filtrons tous les appels dans votre chambre – une suggestion de votre frère.

— Merci. Je vous en suis très reconnaissante.

— Tant mieux. Ce serait désagréable pour les autres patients d'avoir toutes sortes d'inconnus dans les couloirs.

De toute évidence, le problème des reporters l'irritait. Elle s'éclipsa discrètement.

L'événement le plus intéressant de la soirée fut le passage du jeune homme chargé de ramasser les plateaux vides. J'essayai de regarder la télévision mais les rires en boîtes de conserve me fichaient la migraine. Je lus une petite demi-heure. Le bouquin finit par me tomber sur l'estomac et j'eus à peine l'énergie de tendre la main pour éteindre la lampe.

Je fus réveillée par un éclair de lumière et une sensation de sons et de mouvements autour de moi. Je poussai un cri et agitai mon bras valide pour repousser mon assaillant. Dans un sursaut de lucidité, j'appuyai sur les boutons de la lampe et de la sonnette. Je fus sidérée de découvrir deux hommes dans la pièce. Emmitouflés dans d'épais manteaux, ils me hurlaient des paroles incompréhensibles. J'appelai l'infirmière au secours, encore et encore. Au bout de trente secondes, la chambre fut littéralement envahie.

L'infirmière de nuit était une femme raide et de forte corpulence. Elle était très grande et méprisait le maquillage. En revanche, elle s'était récemment teint les cheveux en rouge. Son courage força mon admiration. Elle se rua sur les deux journalistes. Si elle avait été armée, ils seraient morts. Un gars de la sécurité de l'hôpital était là (un homme plus âgé que mon médecin et nettement moins en forme), ainsi qu'un aide-soignant (élancé, musclé) et une autre infirmière qui ne se priva pas d'insulter les intrus.

L'épisode était ridicule et j'aurais dû pouvoir le surmonter. J'aurais même dû l'anticiper. Pour l'heure, j'en étais incapable. J'avais eu très peur et mon cœur battait la chamade. J'avais mal partout.

Après une vive explication, le vigile et l'aide-soignant emmenèrent les importuns qui dissimulaient avec peine leur sourire.

Quant à moi, j'étais dans un état pitoyable : terrifiée, percluse de douleurs et affreusement seule.

# Chapitre 6

Lorsqu'il arriva dans ma chambre le lendemain matin, Tolliver était livide. Surexcitées après les événements de la nuit, les infirmières s'étaient empressées de les lui raconter. Elles lui avaient littéralement sauté dessus. Résultat : c'est tout juste s'il ne crachait pas du feu quand il poussa la porte.

— Je n'en reviens pas ! vociféra-t-il. Bande de salopards ! S'immiscer comme ça jusqu'à ton chevet ! Seigneur ! Tu as dû… tu dormais ? Tu as eu très peur ?

En moins de deux secondes, il passa de la rage à l'inquiétude.

J'étais trop fatiguée pour lui sourire. Je m'étais réveillée en sursaut au moins trois fois par la suite, persuadée que quelqu'un était entré à mon insu.

— Comment se sont-ils débrouillés ? reprit Tolliver. Les portes sont fermées à partir de vingt et une heures. Après cela, il faut sonner aux urgences. Du moins c'est ce qui est inscrit sur le panneau.

— Soit il y a eu négligence, soit on leur a ouvert. Sans savoir qui ils étaient, bien sûr, suggérai-je.

Je ne voulais pas envenimer la situation. On m'avait fort bien traitée dans ce petit hôpital et je refusais de croire qu'un membre du personnel s'était laissé soudoyer ou était assez mesquin pour commettre un acte pareil.

Tolliver en parla au médecin.

Le Dr Thomason avait repris du service. Il semblait à la fois agacé et embarrassé. Il semblait aussi en avoir par-dessus la tête de cet incident.

Je dévisageai Tolliver et il eut l'intelligence de ne pas insister.

— Vous me libérez tout de même, j'espère ? demandai-je.

— Oui. Vous vous remettez bien de vos blessures. Voyager sera peut-être pénible mais si vous le souhaitez, vous pouvez quitter la ville. En revanche, pas question de prendre le volant tant que votre bras n'ira pas mieux.

Le Dr Thomason hésita.

— Je crains que vous ne repartiez avec une bien mauvaise impression de Doraville.

Un serial killer, une agression, un réveil brutal... Moi ? Une impression négative de Doraville ?

— Tout le monde a été très gentil, répondis-je, et pour ce qui est des soins, je ne pouvais pas espérer mieux.

Thomason parut sincèrement soulagé. Peut-être me prenait-il pour une de ces garces qui vous traînent devant les tribunaux sous prétexte qu'on l'a regardée de travers.

En repensant aux personnes charmantes que nous avions rencontrées et au fait que Manfred et Xylda étaient venus exprès pour nous voir, je m'étais demandé si nous n'aurions pas intérêt à rester pour la journée, histoire de dire au revoir. Mais après ma frayeur de la nuit, j'avais hâte de m'en aller.

Naturellement, nous dûmes patienter le temps que la paperasse termine son circuit mais enfin, aux alentours de onze heures, une infirmière surgit avec l'obligatoire fauteuil roulant. Pendant ce temps, Tolliver descendit chercher la voiture. Un autre fauteuil attendait devant l'entrée. Il était occupé par une jeune femme d'une vingtaine d'années, un poupon dans les bras. Une femme plus âgée – sa mère, certainement – l'accompagnait. Elle poussait un chariot croulant sous les paniers de fleurs roses, cartes de félicitations et boîtes-cadeaux... roses ainsi qu'une pile de brochures. Celle du dessus était intitulée : « Vous ramenez Bébé à la maison. »

La nouvelle grand-mère m'adressa un sourire béat puis se mit à bavarder avec mon infirmière. La maman se tourna vers moi.

— Regardez comme elle est belle ! La dernière fois que j'ai été hospitalisée, j'y ai laissé mon appendice. À présent, je m'en vais avec un bébé.

— Quelle chance ! Toutes mes félicitations. Comment s'appelle-t-elle ?

— Sparkle[1]. Mignon, n'est-ce pas ? Personne ne l'oubliera.

Pour sûr !

— C'est un prénom original.

— Voilà Josh ! s'exclama la grand-mère.

Toutes deux franchirent les portes automatiques.

— Adorable ! approuva l'infirmière. C'est le premier petit-enfant de cette famille.

La grand-mère n'ayant pas atteint la quarantaine, j'en fus soulagée.

Mon corps grillé par la foudre pourra-t-il un jour produire un bébé ?

Enfin, ce fut à mon tour d'être poussée jusqu'au bord du trottoir. Tolliver bondit pour me venir en aide. Après m'avoir assise, il se pencha pour attacher ma ceinture puis contourna le véhicule pour grimper de l'autre côté.

L'infirmière s'assura que j'étais bien installée avant de fermer la portière.

---

1. *Sparkle* signifie « scintillement ». *(N.d.T.)*

— Bonne chance ! J'espère ne pas vous revoir de sitôt !

Je lui souris. J'étais certaine que l'autre patiente avait eu pitié de moi mais je me sentais nettement mieux maintenant que j'étais dans notre véhicule avec Tolliver. J'avais des ordonnances et les instructions du médecin, j'étais libre de partir. Un sentiment jubilatoire.

Nous tournâmes à droite en sortant du parking. La circulation semblait normale. Pas de reporters en vue.

— On retourne au motel ou on prend la route ?

— On fait un saut à la pharmacie, ensuite on déguerpit, répliqua Tolliver.

Situé à deux pâtés de maisons de l'hôpital, le drugstore était géré par un autochtone. À l'intérieur, toutes sortes d'odeurs se mêlaient joyeusement : friandises, médicaments, bougies parfumées, pot-pourri, chewing-gum. On pouvait y acheter papier à lettres, boîtes de chocolats, bouillottes, assiettes en carton et autres réveils. Le comptoir des prescriptions était tout au fond. Devant, deux chaises en plastique ; derrière, un jeune homme qui se déplaçait avec une telle nonchalance que Tolliver et moi aurions largement le temps de goûter au confort des sièges.

Je fus décontenancée de constater à quel point j'étais heureuse de pouvoir m'asseoir pendant que Tolliver remettait les documents au pharmacien, dont la blouse semblait avoir été javellisée et amidonnée – à moins qu'elle ne fût flambant neuve. J'essayai de lire la date sur le diplôme accroché au mur derrière lui mais l'écriture était trop petite.

On ne pourrait pas lui reprocher un manque de sérieux :

— Vous devez prendre ces cachets au milieu du repas, annonça-t-il en brandissant un flacon en plastique marron. Si vous ressentez l'un des symptômes figurant sur cette liste, consultez immédiatement votre médecin.

Il nous envoya à la caisse à l'avant du magasin et je dus me lever pour suivre Tolliver. La cliente juste devant nous prit tout son temps pour compter sa monnaie et entamer la conversation. Puis nous dûmes révéler à la caissière que notre assurance ne couvrait pas les médicaments et que nous souhaitions payer en espèces. Elle parut étonnée mais enchantée.

Nous regagnions la voiture quand le shérif nous intercepta.

— Je regrette. Nous avons encore besoin de vous.

Il ne neigeait pas mais le ciel était gris. Je fixai Tolliver qui avait pâli.

— Pourquoi ? murmurai-je stupidement.

— Il se pourrait qu'il y en ait d'autres.

Il fallut renégocier. Le consortium ne m'avait pas signé un chèque pour ma première intervention et je ne me déplace pas pour rien. De plus, les journalistes pullulaient. Je ne travaille pas devant les caméras, sauf cas exceptionnel.

Le parking derrière le poste de police étant protégé par une clôture couronnée de rouleaux de fil de fer barbelé, nous réussîmes à nous faufiler dans les lieux *incognito* – enfin, en ce qui concerne les requins des médias. Car tous ceux qui n'avaient pas été affectés sur le site s'arrangèrent pour passer devant le bureau du shérif Rockwell, histoire de m'apercevoir. Avec mon attelle au bras et mon pansement autour de la tête, j'étais une véritable bête de cirque. Tolliver prit place à ma droite pour pouvoir tenir ma main valide.

— Tu devrais être couchée. Je ne sais pas où nous allons loger si nous devons prolonger notre séjour. J'ai rendu la chambre et je suis certain qu'elle a déjà été relouée.

Je hochai la tête en silence. Je n'étais pas sûre d'être à la hauteur. Certes, retrouver les morts est mon gagne-pain. Mais j'étais à bout de forces.

— De qui s'agit-il, selon vous ? demandai-je au shérif. J'ai retrouvé tous les garçons.

— Nous avons examiné les signalements de personnes disparues sur une période de cinq années, répondit Rockwell. Nous en avons repéré deux, un peu plus âgées que les adolescents de la propriété Davey.

— La quoi ?

— La propriété où étaient enterrés ces garçons appartenait à Don Davey et sa famille. Don était veuf, octogénaire. Je me souviens à peine de lui. Il est décédé il y a une douzaine d'années et la maison est inhabitée depuis. La femme qui en a hérité vit dans l'Oregon. Elle n'est jamais revenue. Elle n'a pris aucune initiative pour s'en débarrasser. Elle doit avoir quatre-vingts ans, elle aussi, et n'envisage pas d'exploiter le terrain.

— Quelqu'un s'est-il proposé pour l'acheter ?

— Elle ne m'en a pas parlé.

— Où se trouveraient les nouveaux cadavres ?

— Dans une vieille grange abandonnée depuis dix ans ou plus. Sol en terre battue.

— Qu'est-ce qui vous incite à croire qu'il pourrait y avoir des restes humains à cet endroit ?

— La bâtisse est située tout au bout du domaine d'un psychothérapeute, Tom Almand, qui n'y met jamais les pieds. Après tout ce ramdam chez Davey, son voisin qui est aussi un de mes adjoints, Rob Tidmarsh, a eu l'idée de ratisser le secteur. En effet, les critères correspondent : la grange est isolée, délaissée, le sol facile à creuser. Oh, surprise ! Rob a remarqué des traces.

— Vous avez vérifié vous-même ?

— Pas encore. Nous avons pensé que vous pourriez nous mettre sur la voie.

88

— Je crains que non. Si les repères sont visibles, il suffit d'y enfoncer un piquet. Vous sentirez l'odeur tout de suite. Ou alors, vous pouvez creuser un peu. Les ossements ne sont sans doute pas ensevelis profondément. Cela vous coûtera nettement moins cher et moi, je pourrai quitter Doraville.

— Ils vous réclament. Twyla Cotton prétend qu'il reste des fonds puisque vous n'avez mis qu'une journée à accomplir votre mission... Vous ne voulez pas de toute cette publicité ? Les médias sont à l'affût, comme vous avez pu vous en rendre compte cette nuit.

— Je ne veux plus rien savoir de cette affaire.

— Ce n'est pas moi qui décide, répliqua-t-elle.

Je fixai mes genoux. J'avais tellement sommeil que j'avais peur de m'assoupir là, dans le bureau du shérif.

— Non. Je refuse.

Tolliver se leva en même temps que moi, impassible. Le shérif nous observa comme si elle n'en croyait pas ses oreilles.

— Il le faut.

— Pourquoi ?

— Parce que nous l'exigeons. C'est votre métier.

— Je vous ai fourni des solutions. Je veux m'en aller.

— Dans ce cas, je vous mets en état d'arrestation.

— Sous quel prétexte ?

— Entrave à une enquête policière. Quelque chose du genre. Ce ne sera pas difficile.

— En d'autres termes, vous me faites chanter ? Quelle sorte de policier êtes-vous ?

— J'ai des meurtres à résoudre.

— Eh bien ! Arrêtez-moi ! Je persiste et signe : ma réponse est non.

— Tu es trop faible pour aller en prison, intervint Tolliver d'une voix calme.

Je m'appuyai contre lui, luttant contre une sensation d'immense lassitude. Il me serra dans ses bras et je calai ma tête contre sa poitrine. Je savourai quelques instants de paix avant de réfléchir.

Il avait raison. L'expérience serait détestable, même dans un petit pénitencier comme celui de Doraville. Je n'avais donc pas d'autre choix que d'exécuter les ordres. Autant en finir au plus vite. Mais qui commandait l'opération ? La police d'État ?

Je devais m'écarter de Tolliver. J'acceptais son soutien sous de fausses allégations. Tôt ou tard, il me faudrait le reconnaître.

— Tu as besoin de manger.

Je revins brutalement sur terre.

— Oui.

En effet, j'avais faim et il nous fallait un endroit où loger. Quel que soit le résultat de ma recherche, il faudrait que je puisse me reposer.

— Bien, murmurai-je enfin. Je vais me restaurer puis nous vous rejoindrons.

— Ne vous avisez pas de quitter la ville. Nous vous rattraperons.

— Je ne vous aime pas du tout, ripostai-je.

Sandra Rockwell me toisa. J'ignore quelle expression elle s'efforçait de masquer. Peut-être ne s'aimait-elle pas beaucoup non plus à cet instant.

Nous sortîmes par la porte arrière du poste et nous rendîmes dans un fast-food anonyme. Il faisait trop froid pour déjeuner dans la voiture. Nous devions entrer dans l'établissement. Par chance, aucun des clients ne semblait avoir lu les journaux, ou alors, ils étaient trop polis pour m'accoster. Tant mieux. J'aime bien manger en paix. L'avantage du sandwich, c'est que Tolliver n'était pas obligé de me couper mes aliments. Il n'eut qu'à déchirer le sachet de ketchup et mettre une

90

paille dans ma boisson. Je mastiquai lentement car je n'étais pas pressée de me rendre à cette fichue grange.

— C'est nul, proclamai-je après avoir englouti la moitié de mon hamburger. Pas la nourriture mais la situation.

— Je suis de ton avis. Malheureusement, je ne vois pas comment nous pouvons nous en sortir sans créer un scandale.

Je m'apprêtai à l'incendier, à lui rappeler que c'était moi qui ferais tout le boulot, qu'il se contenterait de rester à l'écart, comme toujours. Dieu merci, je me retins. L'idée que j'avais failli détruire notre relation dans un élan de mauvaise humeur m'horrifia. Il ne se passe pas une journée sans que je remercie le ciel de m'avoir donné Tolliver ; sans que je lui sois reconnaissante de faire le tampon entre moi et le reste du monde.

— Harper ?

— Quoi ?

— Tu as l'air bizarre. Qu'est-ce qui ne va pas ?

— Je réfléchissais.

— De sombres pensées, apparemment.

— Oui.

— Tu es fâchée contre moi ? Tu crois que j'aurais dû batailler avec le shérif ?

— Ça n'aurait servi à rien.

— Exact. Alors pourquoi cet air furieux ?

— Je m'en veux à moi-même.

— C'est absurde. Tu n'as rien à te reprocher.

Je m'empêchai de soupirer.

— Je fais tout de travers.

Je geignais mais je n'y pouvais rien. J'étais consciente de vouloir davantage que ce que Tolliver pouvait ou devrait m'offrir et ce secret me pesait.

J'étais en mode « ma vie ne vaut rien ». Plus vite je me secouerais, mieux ce serait pour nous tous.

Nous contactâmes le shérif Rockwell en chemin pour qu'elle nous guette dehors. Nous garâmes notre voiture sur le parking et montâmes dans la sienne.

— Sa présence n'est pas indispensable, décréta-t-elle en désignant Tolliver d'un signe de tête.

— Il vient avec moi. C'est non négociable. Je préfère parlementer pendant une heure avec les journalistes plutôt que de me déplacer sans lui.

Elle me coula un regard noir puis haussa les épaules.

— Bien.

En sortant du parking, elle tourna à droite de manière à éviter de passer devant le commissariat. Je l'avais vaguement soupçonnée d'être en quête de gloire, pourtant elle fuyait les journalistes. Décidément, j'avais du mal à la cerner.

Bien qu'ayant mangé et pris un peu de repos, j'étais épuisée. J'avais des antalgiques dans la trousse à pharmacie à l'arrière de notre véhicule. Je regrettai de ne pas les avoir emportés tout en sachant pertinemment que je n'en aurais pas avalé avant d'avoir travaillé. Que deviendrions-nous si je bâclais ma mission ? Pendant un moment, je m'amusai à imaginer diverses possibilités mais j'y renonçai assez vite. Quand le shérif Rockwell s'arrêta, j'avais la tête appuyée contre la vitre froide.

— Vous vous sentez suffisamment forte ? s'enquit-elle à contrecœur.

— Finissons-en.

Tolliver m'aida à descendre et nous nous approchâmes d'un groupe d'hommes postés à l'entrée d'une grange qui avait été rouge autrefois. Elle n'était pas aussi abîmée que la maison au pied des collines mais je repérai de larges interstices entre les planches, la peinture était écaillée et le toit en tôle semblait maintenir seul l'ensemble de la structure. Je scrutai les alentours et vis au loin une maison, en bien meilleur état. Le propriétaire n'avait pas souhaité cultiver la terre ou élever des bêtes. Il avait simplement voulu la maison et un peu d'espace tout autour.

Au milieu du cercle se tenaient deux personnes : un homme d'environ quarante ans perdu dans un manteau épais qu'il n'avait pas boutonné. Il était petit, pas plus large que Doak Garland. Sous le paletot, il portait une chemise et une cravate. Son bras était posé sur les épaules d'un garçon d'une douzaine d'années. Petit, grassouillet, les cheveux longs et blonds, il était plus carré que son père. Pour l'heure, il semblait à la fois abasourdi et excité.

Nous nous avançâmes et je laissai errer mon regard sur l'enfant. *Je te connais*, pensai-je. Il se rendit compte que je l'avais reconnu. Il eut l'air légèrement inquiet.

Je me connecte avec les morts mais de temps en temps, j'entre en contact avec un individu plus ou moins lié au défunt. Parfois ces gens sont inoffensifs. Parfois, ils décident de travailler dans l'industrie des pompes funèbres ou à la morgue. Ce garçon en faisait partie.

La grange était équipée d'une unique ampoule électrique. Le bâtiment était vaste, très ouvert à l'exception de trois stalles remplies de foin moisi dans le fond. Elles étaient inutilisées depuis des années. De vieux outils étaient suspendus aux murs et le sol était jonché de détritus : une brouette, une tondeuse à gazon, quelques sacs de fertilisant, une colonne de pots de peinture.

L'atmosphère était glaciale, lourde, détestable. Tolliver semblait retenir son souffle.

Cette tâche aurait mieux convenu à Xylda Bernardo qu'à moi.

J'en fis part au shérif.

— Quoi ? Cette vieille folle aux cheveux rouges ?

— Vous auriez tort de vous fier aux apparences. Elle est médium. Il n'y a pas de morts ici.

— Pas de cadavres ?

Impossible de savoir si Rockwell était déçue ou soulagée.

— Si, si, mais pas humains. Je perçois la mort mais je ne la trouve pas. Si cela ne vous ennuie pas, je vais lui passer un coup de fil. Si elle parvient à vous renseigner, vous n'aurez qu'à lui donner ma rémunération.

Rockwell me fixa, ahurie, blême.

— Entendu, souffla-t-elle. Et si elle vous ridiculise, ce sera de votre faute.

Xylda et Manfred arrivèrent assez vite. Xylda portait sa hideuse pelisse à carreaux. Ses longs cheveux teints en rouge vif étaient en désordre. Son visage rond était généreusement maquillé de poudre et de rouge à lèvres. Elle avait mis un collant de contention et des mocassins. Manfred était un petit-fils en or : la plupart des jeunes de son âge auraient détalé comme des lapins plutôt que d'apparaître en public avec une telle créature.

Une canne à la main, Xylda ne daigna pas nous saluer. Elle ne parut même pas nous voir. Depuis quand se promenait-elle avec une canne ? Celle-ci lui conférait un petit air canaille. Je notai que Manfred gardait les mains à proximité de sa taille, comme pour la rattraper si elle s'effondrait d'un seul coup.

Elle pointa la canne sur les monticules ici et là. Puis elle s'immobilisa complètement. Les hommes et le garçon, qui étaient entrés avec elle, l'avaient d'abord observée d'un œil moqueur en murmurant des commentaires désobligeants. À présent, ils se taisaient. Quand Xylda ferma les yeux comme pour écouter un son qu'ils ne percevaient pas, la tension devint palpable.

— Des animaux torturés, annonça-t-elle d'un ton sec.

Elle pivota péniblement et pointa sa canne sur l'enfant.

— Tu tortures les animaux, petit salaud !

Xylda Bernardo ne mâche jamais ses mots.

— Ils se rebellent contre toi, enchaîna-t-elle d'une voix monocorde. Ton avenir est inscrit dans le sang.

Le gosse la dévisagea avec terreur. Je compatis.

— Fiston, dit l'homme au gros manteau... Est-ce la vérité ? As-tu pu faire une chose pareille ?

— Papa, gémit-il... Ne m'oblige pas à supporter ça.

Tolliver me serra contre lui.

Le père secoua légèrement le fils.

— Parle.

— Le chat était déjà blessé. Je l'ai regardé mourir.

— Menteur ! cracha Xylda avec dégoût.

Après cela, ce fut la débandade.

Les adjoints creusèrent, exhumant après le chat précité, un chien, des lapins – bébés – et un ou deux oiseaux. Ils fouillèrent les boxs, soulevant des nuages de poussière. Sous les bottes de foin, ils tombèrent sur un plancher en bois ; il n'y avait donc pas de cadavres d'animaux en dessous. Le père, Tom Almand, était en état de choc. Psychothérapeute du centre médical local, il devait savoir aussi bien que nous que l'un des premiers symptômes d'un serial killer en puissance consiste à torturer les bêtes. Je me demandai combien d'enfants ayant pratiqué ce genre de massacre ne devenaient jamais des meurtriers. Les enquêtes sur le sujet ne doivent pas courir les rues. Peut-on commettre un acte aussi odieux et se métamorphoser en un adulte équilibré ? Possible. Je n'ai pas étudié le phénomène et n'en ai aucune intention. J'en vois assez au quotidien pour être convaincue que les humains sont capables de cruauté... mais de générosité aussi. Toutefois, en obser-

95

vant Chuck Almand, treize ans, futur sadique, je n'étais guère optimiste.

Sandra Rockwell ne pouvait qu'être satisfaite. J'avais empêché les autorités locales de se ridiculiser et déniché une source de problèmes éventuels, le tout sans réclamer un cent pour moi ni me plaindre du stress que j'avais subi. En revanche, ils devaient de l'argent à Xylda et je voulais m'assurer qu'ils la paieraient.

Malheureusement, l'expression du shérif était morose. Elle semblait fatiguée, découragée et désillusionnée.

— Pourquoi boudez-vous ? l'attaquai-je.

Tolliver bavardait avec Manfred, histoire de me prouver sa bonne foi. Xylda monopolisait l'un des officiers, qui la fixait d'un air ahuri.

— J'espérais clôturer l'affaire, avoua Rockwell, trop déprimée pour dissimuler son émoi. Je pensais qu'on retrouverait des corps ici, des indices – voire des trophées – nous permettant d'établir un lien, Tom par exemple, avec les meurtres. On aurait bouclé le dossier. On aurait résolu l'énigme nous-mêmes sans avoir à confier la suite de l'enquête aux gars de l'État ou au FBI.

— Il n'y a pas de cadavres humains ici. Je regrette de ne pas pouvoir agiter une baguette magique et vous en faire apparaître.

J'étais sincère. Comme la plupart des gens, je veux que l'on enferme les méchants, que la justice prévale, que l'on punisse les délinquants. Mais il est rare que l'on obtienne les trois en même temps, du moins pas au même degré.

— Pouvons-nous partir ?

Rockwell ferma brièvement les yeux et mon estomac se noua.

— Le SBI demande que vous restiez une journée de plus. Ils veulent vous interroger.

J'eus l'impression d'étouffer.

— J'avais cru qu'on pourrait s'en aller après cet épisode.

J'avais dû hausser le ton car plusieurs personnes se tournèrent vers nous, y compris le garçon responsable de ce brouhaha. Je plongeai mon regard dans celui de Chuck Almand.

— Autant l'abattre tout de suite, grommelai-je.

J'étais bouleversée. Était-ce ainsi que Xylda voyait les choses, était-ce ce qui la rendait si particulière ? Manfred suivrait-il le mouvement ? Ce gosse n'était pas né condamné par sa nature. Il pouvait faire des choix mais lesquels ? Selon moi, il opterait pour les mauvais.

Avais-je raison ? Était-ce inévitable ? Pourvu que non. Pourvu que je ne renouvelle jamais cette expérience. Peut-être étais-je capable de lire en Chuck Almand seulement parce que j'étais aux côtés de deux vrais médiums dont le don déteignait sur moi. Peut-être était-ce le grondement de tonnerre au loin. Ce bruit me met toujours au comble de l'agitation et de la peur. Peut-être étais-je totalement à côté de la plaque.

— Tolliver, nous devons trouver un endroit où loger. Ils refusent de nous libérer.

Nous aurions dû détaler juste après la pharmacie. Il se précipita vers moi et contempla le shérif Rockwell un long moment.

— À vous de vous débrouiller, annonça-t-il enfin. Nous avons rendu la clé de notre chambre.

— Vous n'avez qu'à dormir avec nous ! intervint Xylda dans un soudain éclair de lucidité. Nous serons un peu serrés mais ce sera toujours mieux que de coucher à la prison.

Je tentai de m'imaginer dans le même lit que Xylda, Tolliver et Manfred dans un autre. Je me dis que tout compte fait, la prison serait peut-être mieux.

— Merci beaucoup mais je suis sûre que le shérif va résoudre le problème.

— Je ne suis pas votre agent de voyages, rétorqua Rockwell, sautant sur l'occasion de s'emporter. Toutefois je sais que vous aviez prévu de quitter la ville, aussi je vais réfléchir. Si tous les motels sont complets, c'est de votre faute.

Un silence pesant enveloppa l'assistance.

— Enfin, pas exactement, rectifia-t-elle.

— En effet, répondis-je.

— Il n'y a plus une seule chambre de libre, déclara l'un des adjoints.

Il s'appelait Tidmarsh, d'après le nom brodé sur sa chemise d'uniforme. C'était donc Rob Tidmarsh, le voisin.

— Le seul endroit qui me vienne à l'esprit est le chalet au bord du lac de Twyla Cotton.

Le shérif s'éclaira.

— Appelez-la, Rob.

Elle pivota vers nous.

— Merci d'être venus. Nous allons prendre des sanctions contre ce délinquant juvénile...

— Il n'ira pas en prison ?

— Tom, Chuck, approchez-vous, commanda-t-elle en élevant la voix.

Tous deux parurent soulagés qu'on leur adresse enfin la parole. N'ayant aucune envie d'être à proximité de Chuck, je reculai de quelques pas. Il n'avait que treize ans. Il n'allait pas se ruer sur moi. Il avait la vie devant lui, il pouvait changer s'il le voulait.

— Tom, nous n'allons pas vous retirer Chuck.

Tom Almand se voûta, visiblement rassuré. Il était tellement avenant, le genre de type qui accepte volontiers de recevoir votre colis express à votre place ou de nourrir votre chat en votre absence.

— Que devons-nous faire ? bredouilla-t-il, la gorge sèche.

— Chuck passera devant le juge. Nous discuterons. Vous auriez tout intérêt à consulter un psychologue – ce ne devrait pas être trop difficile, il me semble ? – avant même l'audition.

Sandra Rockwell contempla le garçon et je l'imitai. Pour l'amour du ciel ! Il avait des taches de rousseur. Lui me fixait avec une fascination presque égale. J'ignore pourquoi la plupart des jeunes hommes s'intéressent à moi. Je ne parle pas des gars de mon âge mais des mômes. Je ne fais pourtant rien pour attirer leur attention. Et je ne ressemble pas à une maman.

— Chuck, regarde-*moi*, glapit le shérif.

Il s'exécuta. Il avait les yeux bleus comme un lac de montagne.

— Oui, m'dame.

— Chuck, ce que tu as fait est mal.

Il baissa le nez.

— Tu as eu l'aide de tes copains ou tu as agi tout seul ?

Chuck Almand chercha la réponse la plus adéquate.

— C'était juste moi, shérif. Je me sentais si mal après que ma mère...

Il marqua une pause comme les mots restaient coincés dans sa bouche.

Tolliver et moi comprîmes tout de suite qu'il mentait. Nous en avions fait autant avec tous les adultes du système scolaire de Texarcana pour maintenir notre famille unie malgré la déchéance de nos parents. Se retrancher derrière le décès de sa mère, quelle honte ! Enfin, elle au moins était morte d'une cause honorable. Elle n'avait pas souhaité abandonner les siens.

Chuck commit l'erreur de relever la tête vers moi. Il espérait probablement m'attendrir avec ses gémissements. Je le vis tressaillir imperceptiblement.

— La médium pourrait peut-être nous renseigner ? suggéra Rockwell. Est-ce qu'il dit la vérité ?

D'après moi, elle n'y croyait pas. Elle essayait simplement d'arracher des aveux à Chuck. Bien entendu, la voyante la prit au sérieux.

— Pas question que je m'approche de ce monstre ! lança Xylda derrière moi.

— Il s'agit de mon *fils* ! protesta désespérément Tom Almand.

Il posa un bras sur les épaules de Chuck, qui eut manifestement du mal à ne pas le repousser.

Je me retournai vers Xylda. Manfred secoua la tête.

— Tu n'es pas obligée, grand-mère. De toute façon, ils ne te croiront pas. Pas les flics.

— Je sais, admit-elle avec une pointe de tristesse.

— M'dame ! dit Chuck Almand, à mon intention. C'est vrai que vous retrouvez les cadavres ?

— Oui.

— Il faut que ce soit des morts ?

— Oui.

Il opina comme si je venais de confirmer ses soupçons.

— Merci de m'avoir répondu.

Sur ce, son père l'attira à l'écart.

La suite de la journée se déroula malgré nous. Après de nombreuses palabres hors de notre champ d'audition, le shérif Rockwell nous apprit que Twyla nous autorisait à nous installer dans son chalet.

— Sur la rive du lac de Pine Landing, précisa-t-elle. Parker, le fils de Twyla, va vous y conduire.

Si l'on n'avait pas pu nous fournir un lit, nous aurions profité de ce prétexte pour fuir. En l'occurrence, j'étais ravie d'avoir un endroit où me poser. Je me sentais comme n'importe qui à sa sortie de l'hôpital : pas franchement malade mais éreintée et tremblante. Pendant

100

que les policiers continuaient à creuser, Tolliver, Manfred, Xylda et moi fûmes poussés jusqu'à l'autre extrémité de la grange. De temps en temps, un uniforme nous jetait un coup d'œil curieux.

Le temps que Parker McGraw nous rejoigne, les médias avaient localisé le site et les reporters pullulaient comme des mouches sur une carcasse. Heureusement, les flics avaient réussi jusqu'ici à les maintenir à une distance respectable.

Après avoir échangé une poignée de main avec Tolliver, Manfred entraîna Xylda jusqu'à la sortie en nous promettant qu'elle détournerait l'intérêt des journalistes.

— Grand-mère adore les photographes. Regardez !

Nous regardâmes. Xylda, ses cheveux rouges volant autour de son visage ridé comme une pomme, traversa la cour, Manfred sur ses talons. Parvenue devant sa voiture, elle se plaça face à eux avec une réticence tellement feinte que c'en était comique et leur asséna quelques mots soigneusement choisis.

Pendant que les projecteurs étaient braqués sur elle, Tolliver et moi contournâmes la foule pour gagner le pick-up de Parker.

Le fils de Twyla était grand et robuste, vêtu de la tenue de rigueur dans la région : jean, chemise en flanelle et doudoune. Ses bottes étaient immenses et sales. Apparemment, sa mère n'avait pas eu les moyens de l'emmener chez l'orthodontiste dans son enfance.

Il serra vigoureusement la main de Tolliver. Il hésita devant moi.

— Fichons le camp d'ici, proposa-t-il.

Nous montâmes à bord de la camionnette et nous serrâmes sur la banquette, Parker ayant amené son fils Carson. Il fit fièrement les présentations.

Carson était brun, carré, plutôt petit. Il était encore en pleine croissance. Il avait le visage large de sa grand-mère et les yeux bruns. Il était maussade et silencieux, ce qui n'était guère étonnant dans la mesure où l'on avait enfin découvert le corps de son frère.

— Notre voiture est sur le parking du poste de police, dit Tolliver.

Parker acquiesça. Il semblait chaleureux mais ce n'était pas un loquace.

Cependant, une fois les requins des médias derrière nous, il se décontracta.

— Je n'ai pas eu l'occasion de vous remercier l'autre jour. Nous n'avons pas été bien accueillants, nous non plus, mais vous pouvez comprendre pourquoi.

— Oui, murmurai-je. N'y songez plus. Nous avons accompli la mission qu'on nous avait confiée.

— Justement. Vous n'avez pas empoché l'argent de ma mère et pris la poudre d'escampette. C'est une femme qui a toujours agi pour des causes qu'elle estimait justes et elle était convaincue d'avoir raison de solliciter votre aide. Je n'étais pas d'accord, je le concède, et je le lui ai dit. Mais quand elle a un projet en tête... Maintenant, je lui suis reconnaissant d'avoir insisté. Quant à ces deux énergumènes... C'est en les voyant qu'on s'est rendu compte de la chance qu'on avait eue de vous avoir.

Il faisait allusion à Manfred et Xylda. J'observai Carson à la dérobée. Il ne perdait pas une miette de la conversation mais il semblait calme.

— Je suis heureuse que vous ayez une opinion positive à notre égard, bredouillai-je maladroitement. Cependant il ne faut jamais se fier aux apparences. Xylda Bernardo a un véritable don. Je conçois que son allure puisse effaroucher certaines personnes.

— Vous êtes charitable, déclara Parker McGraw.

Je croyais le sujet clos lorsqu'il enchaîna :

— Mais je suppose que c'est vous qu'on consultera à l'avenir pour tous nos besoins surnaturels.

Il ne manquait pas d'humour. Il s'assombrit presque aussitôt.

— Je me sens coupable de sourire alors que notre fils a quitté cette terre pour toujours.

Carson posa la tête sur l'épaule de son père, l'espace d'une seconde. Le geste me bouleversa.

— Je suis désolée. J'aurais voulu pouvoir vous donner le nom du coupable.

— On le démasquera bientôt, répliqua-t-il d'un ton assuré. Pour Bethalynn et moi, c'est essentiel. Carson mérite de grandir dans la sérénité.

Le regard de Carson rencontra le mien. Il ne me donnait pas l'impression d'être angoissé. Il avait été élevé dans la certitude que les adultes étaient là pour le protéger. S'il était arrivé malheur à son frère, lui se considérait à l'abri. Pourvu qu'il ne se trompe pas.

Parker semblait d'avis que Doraville redeviendrait une ville sûre une fois l'assassin de son aîné épinglé. Il paraissait certain que ce serait facile. Dans ses rêves ! me dis-je. Puis je me remémorai le calvaire qu'il avait vécu. Il avait le droit de fantasmer autant qu'il le voulait si cela pouvait l'aider à tenir.

Nous avons tous nos fantasmes.

# Chapitre 7

Le chalet au bord du lac appartenait à la famille Cotton depuis plus de quarante ans. Ces dernières années, c'était les McGraw qui en profitaient. Parker nous expliqua qu'au début ils s'y étaient sentis comme des intrus, mais les héritiers survivants d'Archie Cotton étaient sexagénaires et n'avaient pas d'enfants à Doraville.

— Jeff adorait y aller, dit Parker. Carson et moi y passerons quelques jours au printemps pour pêcher. N'est-ce pas, Carson ?

— Oui ! On attrapera des poissons que maman devra nettoyer. Elle aime *tellement* ça !

Parker esquissa un sourire.

L'adjoint de service nous ouvrit le portail réservé au personnel du poste de police. Tolliver et moi changeâmes de voiture pour suivre Parker.

Pine Landing était situé à une vingtaine de kilomètres au nord-est de Doraville, vingt kilomètres d'une route étroite et sinueuse. Nous croisâmes peu de véhicules en chemin. Le lac était près d'un bourg, un point minuscule sur la carte baptisé Harmony. J'aperçus sur notre passage quelques demeures dispersées tout autour, des structures solides, habitables à l'année et des pavillons réservés à la saison estivale.

— Ce doit être magnifique en été ! m'exclamai-je.

104

Nous suivîmes la camionnette de Parker à une distance respectable et bifurquâmes derrière lui dans une allée étroite. Nous dûmes descendre une pente abrupte pour nous garer à ses côtés sur une large parcelle de terrain plat au bord de l'eau.

La propriété Cotton était une des plus vastes. Le bâtiment à deux étages était de taille modeste et l'on devinait qu'il était plus ancien que beaucoup d'autres par la hauteur des arbres qui l'entouraient. Peut-être avait-on simplement pris plus de soin à ménager le terrain qu'ailleurs. Construit en bois et surmonté d'un toit en tuiles de cèdre, le chalet se fondait merveilleusement dans le paysage.

Le rez-de-chaussée était une sorte de débarras pour les bateaux et autres accessoires de divertissement. La double porte lourdement cadenassée faisait face au lac. Du côté sud, un escalier menait à un palier devant l'entrée principale. Parker nous ouvrit et nous invita d'un geste à le précéder.

— De nombreuses cabanes par ici ne sont ni chauffées ni climatisées mais M. Archie, lui, a pensé à tout. En cas de coupure d'électricité – ce qui arrive assez régulièrement – vous avez la cheminée. Le ramoneur est passé le mois dernier.

Je scrutai l'ensemble. L'intérieur comportait une grande salle. Deux lits doubles étaient poussés contre le mur ouest et plusieurs lits pliants recouverts de housses en plastique les côtoyaient. L'air était un peu rance mais pas désagréable. L'odeur de cèdre prévalait. L'âtre était en pierres naturelles. Les murs, en lambris brut, ajoutaient une touche de rusticité au décor. Je repérai un petit fourneau, un réfrigérateur d'une autre ère, deux placards et une cloison tout au fond, derrière laquelle se dissimulait une minuscule salle d'eau. Le mur est, surplombant le lac, était presque entièrement en baies vitrées s'ouvrant sur une terrasse protégée par des moustiquaires et meublée de quelques rocking-chairs.

— Le linge devrait être ici, dit Parker en ouvrant le placard sous l'évier. Oui ! Bethalynn avait raison.

Il sortit un sac transparent, le jeta sur l'un des lits.

— Vous devriez avoir assez de couvertures. Parfois, quand nous venons au printemps, les nuits sont froides. Si vous voulez allumer un feu, le bois est en bas. Vous pouvez y accéder de l'intérieur.

Il désigna une trappe dans le plancher.

— Autrefois, nous empilions les bûches à l'extérieur mais les honnêtes gens deviennent de plus en plus rares. Ils s'emparent de tout ce qui n'est pas sous clé et encore… tous les deux ou trois ans, nous avons droit à un cambriolage.

Nous haussâmes les épaules en chœur, accablés par le laxisme de la morale moderne.

Parker poussa un profond soupir supposé masquer son expression chagrine. Carson lui tapota gentiment l'épaule.

— À tout à l'heure à la salle paroissiale. Ma mère a votre numéro de portable.

Il disparut avant qu'on puisse le voir pleurer. Son désarroi ne me surprenait pas. Je me demandai quand ils pourraient enterrer dignement ce qui restait de leur fils aîné.

Tolliver ouvrit la trappe et descendit.

— Pas de fenêtres ! lança-t-il.

Je perçus un déclic et un rectangle s'illumina au milieu du parquet.

— Je remonte du bois, ajouta-t-il, la voix plus lointaine.

Pendant que je déposais mon bagage sur lit le plus proche de la salle de bains, j'entendis une série de bruits sourds. Puis Tolliver reparut, les bras chargés de rondins de chêne.

Je m'accroupis pour voir si le conduit de la cheminée était ouvert. Non. Je saisis une poignée qui me semblait prometteuse et la tournai maladroitement avec ma main valide. Gagné ! J'aperçus un carré de ciel gris. J'avais remarqué un panier rempli de pommes de pin. J'étais persuadée que c'était pour ajouter une touche campagnarde à l'ensemble mais Tolliver m'expliqua qu'elles nous serviraient à démarrer notre feu. Comme elles n'avaient rien d'extraordinaire et qu'elles jonchaient le sol par milliers, je laissai Tolliver en jeter une poignée dans la cheminée, en digne ex-scout qu'il était. N'ayant rien prévu à cet effet, nous fûmes soulagés de découvrir une boîte d'allumettes dans un sachet scellé et carrément enchantés que Tolliver réussisse à craquer la première avec succès.

Les pommes de pin s'embrasèrent rapidement et Tolliver plaça les bûches au-dessus en les entrecroisant. Pour permettre le passage de l'air, sans doute.

Je l'abandonnai à cette activité virile. Par chance, j'avais des barres de céréales dans ma valise et j'en mangeai une pendant qu'il allait chercher notre glacière, encore bien achalandée en sodas et en bouteilles d'eau minérale.

— Il faudra faire des courses quand nous irons en ville ce soir, murmurai-je.

— Tu as vraiment envie d'assister à cette réunion ?

— Bien sûr que non, mais tant que nous sommes là, autant y aller. Ça m'ennuierait que les habitants de la région se retournent contre nous.

Je jetai un coup d'œil sur ma montre.

— Nous avons au moins trois heures devant nous. Je vais m'allonger ; je suis épuisée.

— Tu n'aurais pas dû porter ce sac.

107

— Ne t'inquiète pas pour moi.

J'avais gobé un antalgique en douce et le cachet commençait à faire son effet.

On frappa à la porte et je sursautai violemment. Tolliver se redressa vivement, surpris lui aussi, ce qui me rassura. Nous échangeâmes un regard. À notre connaissance, personne ne nous avait suivis et nous espérions avoir semé tous les reporters.

— Oui ? s'enquit Tolliver.

Je me plaçai derrière lui, le menton au-dessus de son épaule. Notre visiteur n'avait pas l'allure d'un journaliste. C'était un homme âgé en parka usée, une cocotte en fonte entre les mains.

— Je suis le voisin, Ted Hamilton, annonça-t-il avec un sourire. Moi et ma femme, on a vu Parker arriver avec vous. Elle tenait à vous envoyer quelque chose. Vous êtes des amis de la famille ?

— Entrez, je vous en prie, dit Tolliver parce qu'il n'avait guère le choix. Je suis Tolliver Lang. Et voici ma sœur, Harper.

— Mademoiselle Lang... Tenez ! Je pose ça sur le comptoir...

— En fait, c'est Mlle Connelly mais vous pouvez m'appeler Harper. Vous vivez ici avec votre épouse à longueur d'année ?

— Oui, depuis que j'ai pris ma retraite.

Les Hamilton devaient occuper la petite maison peinte en blanc que j'avais aperçue par la fenêtre.

— Nous ne restons que vingt-quatre heures, répondis-je d'un ton empli de faux regret. C'est très gentil à Mme Hamilton.

— Vous connaissez Twyla, alors ?

De toute évidence, il mourait d'envie d'en savoir davantage sur nous. Quant à moi, j'étais tout aussi décidée à ne rien lui révéler.

— Oui. Une dame charmante.

— Vingt-quatre heures seulement ? On pourra peut-être vous convaincre de prolonger votre séjour. Remarquez, avec le mauvais temps qui se prépare, vous risquez de changer d'avis. Vous seriez mieux en ville. Il leur faut un bon moment pour venir jusqu'ici quand l'électricité défaille.

— Vous craignez des coupures ?

— Oh, il y en a toujours quand il neige. On prévoit une tempête pour demain soir. Moi et ma femme, on a pris toutes nos précautions. On a rempli les placards de victuailles, fait le plein d'eau minérale et d'huile pour nos lanternes et tout le bataclan. On a aussi vérifié la trousse de secours. On ne sait jamais.

J'eus la nette impression que les Hamilton avaient pris grand plaisir à ces préparatifs.

— Si tout se déroule comme prévu, nous partirons dès demain. Remerciez votre épouse pour nous, monsieur Hamilton. Nous vous rapporterons la cocotte, bien sûr.

Nous répétâmes ces phrases plusieurs fois puis, enfin, Ted Hamilton retourna chez lui. J'entendis la porte de son chalet s'ouvrir et sa femme s'exclamer : « Alors ? »

Soulevant le couvercle, je découvris un ragoût de poulet et de riz. Je humai le plat. Fromage, crème fraîche, un peu d'oignon.

— Mince ! m'écriai-je, impressionnée qu'on ait pu confectionner un tel mets en quarante-cinq minutes.

— Si elle avait des restes de poulet, il ne lui a fallu que vingt minutes pour cuire le riz, argua Tolliver.

— Tout de même !

Mon estomac grognait.

Munis d'assiettes en carton et de couverts en plastique, nous en engloutîmes la moitié sur-le-champ. Rien de tel qu'un plat maison ! Après avoir rangé le reste dans le réfrigérateur, je décidai de m'étendre et Tolliver, d'explorer les alentours. Je m'enveloppai dans une couverture et me laissai bercer par les crépitements du feu. Nous avions fait les lits ensemble. Il n'y avait pas d'oreillers mais Tolliver et moi en avons chacun un dans la voiture. Je m'assoupis aussitôt, aux anges.

Lorsque je me réveillai, il était presque seize heures. Tolliver lisait sur son lit. Le feu brûlait toujours et Tolliver avait remonté du bois. Il avait placé deux chaises près de l'âtre.

Le silence était absolu : pas un bruit de moteur, pas un gazouillis d'oiseau, pas une voix. À travers la fenêtre au-dessus de ma tête, je voyais les branches dénudées d'un chêne, parfaitement immobiles. Je plaquai ma main contre la vitre. Le temps s'était réchauffé. Mauvais signe. La neige n'allait pas tarder.

— Tu es allé pêcher ? demandai-je à Tolliver après avoir remué un peu, histoire de lui faire savoir que j'étais réveillée.

— Je ne sais pas si c'est autorisé en plein hiver.

Tolliver n'a pas été élevé à la campagne. Il n'a jamais chassé ni pêché. Son père préférait aider les escrocs à contourner la loi, puis se shooter avec lesdits escrocs plutôt que d'emmener ses fils se promener dans les bois. Tolliver et son frère Mark ont dû cultiver d'autres aptitudes pour se faire apprécier à l'école.

— Tant mieux parce que je n'ai pas la moindre idée de la façon dont on nettoie les poissons, répliquai-je.

Il vint s'asseoir sur le bord de mon lit.

— Comment va ton bras ?

— Assez bien.

Je le bougeai légèrement.

— Et j'ai nettement moins mal à la tête, ajoutai-je.

Je me déplaçai et il s'allongea auprès de moi.

110

— Pendant que tu dormais, j'ai consulté la boîte vocale de l'appartement.

— Mmm...

— Nous avions plusieurs messages, dont l'un au sujet d'une mission en Pennsylvanie.

— C'est loin d'ici ?

— Je n'ai pas encore établi l'itinéraire mais il devrait y avoir environ sept heures de route.

— Faisable. De quoi s'agit-il ?

— Une lecture de cimetière. Les parents veulent être sûrs que leur fille n'a pas été assassinée. Le médecin légiste a conclu à un accident. Il prétend qu'elle a glissé dans un escalier. Les parents ont su par des copains qu'en fait son petit ami l'aurait frappée à la tête avec une bouteille de bière. Les copains en question craignent trop ce jeune homme pour avertir les flics.

— Grotesque.

Des gens stupides, nous en rencontrons tout le temps. Des imbéciles qui ne comprennent pas que les plans trop élaborés sont voués à l'échec, que l'honnêteté est la meilleure des tactiques et que la plupart des victimes présumées d'un accident sont *effectivement* victimes d'un accident. Si le petit ami terrifiait à ce point un groupe de jeunes gens, il se pourrait bien que cette « chute » soit une exception.

— Ce serait génial qu'on puisse s'échapper d'ici à temps pour accepter le contrat. Ils sont pressés ?

— Le garçon s'apprête à quitter la ville. Il a décidé de devenir militaire. Les proches veulent savoir s'il est coupable avant qu'il n'enfile son uniforme.

— Ils sont au courant, n'est-ce pas ? Je ne pourrai pas leur répondre. Je saurai si leur fille a reçu un coup sur la tête mais il me sera impossible d'identifier le coupable.

— Je leur ai parlé brièvement. D'après eux, si elle a été tabassée, ils sauront qui est le coupable. Ils ne veulent pas qu'il parte avant d'avoir pu l'interroger de nouveau. Je leur ai promis de les contacter dans les quarante-huit heures.

Je déteste traîner à répondre. Cependant, il vaut mieux respecter les exigences des autorités, du moins tant qu'elles demeurent raisonnables. Mon témoignage n'a aucune valeur devant les tribunaux, n'est-ce pas ? Je suis donc très irritée quand on m'interdit de repartir. Les flics ne croient pas en moi pourtant ils ont souvent du mal à me lâcher.

— Quoi que je fasse, je l'ai dans le baba, marmonnai-je.

La mère de ma mère disait cela : c'est un des rares souvenirs que j'ai d'elle. Je l'évoque avec l'affection d'une enfant bien qu'elle n'ait jamais ressemblé à ces adorables grands-mères gâteau qu'on voit dans les publicités à la télévision. Elle n'a jamais confectionné une tarte ou tricoté un pull. Quant aux réflexions philosophiques, la citation ci-dessus en résume la profondeur. Elle a disparu de la circulation quand ma mère est tombée dans la drogue. Par conséquent, elle nous a perdus de vue aussi. Le choix n'avait pas dû être facile pour elle.

— Tu as des nouvelles de ta grand-mère ? demandai-je à Tolliver.

Il n'avait pas suivi le fil de mes pensées mais il ne paraissait pas surpris.

— Oui, elle m'appelle de temps en temps. Je m'efforce de lui téléphoner une fois par mois.

— C'est la mère de ton père, non ?

— Oui. Les parents de ma mère sont tous deux décédés. Elle était leur cadette, ils étaient donc assez âgés quand elle-même est morte. Mon père m'a avoué que cette tragédie les avait anéantis. Ils sont morts environ cinq ans après ma mère.

— Nous avons peu de famille.

112

Les McGraw-Cotton semblaient unis. Parker aimait sa mère, bien qu'elle se soit remariée. Elle était restée loyale envers lui au lieu de s'embourgeoiser. Twyla avait précisé que les enfants adultes d'Archie Cotton ne lui en voulaient pas.

— Non, répondit Tolliver avec indifférence. Nous en avons suffisamment.

Je lui tapotai l'épaule.

— Tu as raison.

Il eut un petit rire.

— Il faudrait qu'on aille en ville assez tôt.

— Pourquoi ?

— Ce matin à l'hôpital, l'ordinateur était en panne. Ils voulaient vérifier ta note.

— Tu veux dire qu'ils m'ont libérée sans que tu aies réglé la totalité de la somme ?

— J'ai payé mais ils voulaient s'assurer qu'ils n'avaient rien oublié. Ils m'ont donc prié de repasser.

— Bon.

— Tu as des cachets à prendre ?

Nous consultâmes l'heure et j'avalai une pilule. Je décidai d'emporter l'antalgique avec moi dans mon sac. Je réussis à me laver toute seule mais Tolliver dut m'aider à me rhabiller. Je l'autorisai même à me brosser les cheveux. Nous parvînmes à camoufler plus ou moins le bandage.

Tolliver descendit les marches en premier et je lui emboîtai le pas avec précaution. Une brise relativement tiède me caressa le visage. L'obscurité tombait.

— Et ils ont prévu un vent du nord ? m'étonnai-je.

— Oui, en fin d'après-midi demain. De la douceur jusque-là. Il faudra écouter les informations en chemin.

Le bulletin météo ne nous réjouit guère. Les températures demeureraient aux alentours des dix degrés d'ici le lendemain soir, quand la collision entre deux

113

masses d'air, une chaude, une froide, donnerait vrai-semblablement lieu à une tempête de glace. J'ai assisté à un phénomène de ce genre une seule fois dans mon enfance. Je me rappelle encore les arbres couchés, le froid mordant. Nous avons été privés d'électricité pendant plus de trente heures. Pourvu que nous réussissions à nous éloigner avant la tourmente !

Le hall de l'hôpital était pratiquement désert et la jeune fille derrière le guichet s'affairait à remplir la paperasserie. Elle n'était pas enchantée de nous voir mais elle se montra polie. Elle jeta un coup d'œil sur un Post-it jaune collé sur mon dossier et décrocha son téléphone.

— Monsieur Simpson ? Ils sont là.

Elle raccrocha.

— M. Simpson, l'administrateur, a demandé à vous voir. Il descend tout de suite.

Nous prîmes place dans des fauteuils rembourrés et fixâmes les revues éparpillées sur la table basse en Formica. Les exemplaires écornés de *Chasse et pêche*, *L'Art d'être parents* et autres *Demeures et jardins* ne m'inspiraient pas. Je fermai les yeux et me surpris à rêver de sapins de Noël : blancs, affublés de rubans et de boules dorés ; verts avec des oiseaux rouges perchés sur les branches ; des arbres croulant sous les ornements en verre d'Italie, dégoulinant de cheveux d'ange. Ce fut un choc pour moi de me réveiller et de voir devant moi une paire de jambes en pantalon gris. Barney Simpson s'affala sur un siège en face de nous. Il était encore plus décoiffé que lorsqu'il m'avait rendu visite dans ma chambre. Il devrait utiliser une lotion adoucissante pour tenter de dompter sa chevelure.

— Je dois avouer que j'ai expressément demandé à Britta de me prévenir de votre arrivée.

— Pourquoi ? s'enquit Tolliver.

114

Je m'efforçai de ne pas bâiller.

— Je craignais que vous ne déguerpissiez sans venir à la réunion si je ne vous en reparlais pas. Britta m'a raconté que l'ordinateur était tombé en panne au moment de votre départ ce matin, j'ai donc profité de l'occasion.

— Vous êtes de la même paroisse que Doak Garland ?

— Oui. J'y fais une apparition de temps en temps, rétorqua-t-il, pas du tout honteux. Pas trop souvent car j'aime faire la grasse matinée le dimanche.

Il semblait s'attendre à ce que je le réconforte d'un « Comme nous tous » ou d'un « Nous non plus, nous ne sommes pas très assidus ». Je restai muette. Une réaction puérile de ma part. Tolliver et moi n'allons jamais à la messe. Je ne sais pas en quoi Tolliver croit, du moins pas en détail. Personnellement, je crois en Dieu, pas en l'église. Les églises me donnent la chair de poule. Depuis cinq ans, je n'y ai mis les pieds que pour assister à des funérailles. Me retrouver si près d'une dépouille m'a complètement déboussolée. Les vibrations étaient insoutenables. Je n'aurais jamais accepté de me rendre aux obsèques de Jeff McGraw. Mais dans la mesure où il s'agissait d'une cérémonie à sa mémoire...

— Abe Madden prendra la parole, enchaîna Barney Simpson. Ce devrait être intéressant. Sandra n'a pas dit grand-chose mais tout le monde sait qu'Abe a négligé les enquêtes sur les disparitions des garçons à l'époque où Sandra n'était encore que son adjointe. C'est l'ardeur de Sandra dans cette affaire qui a poussé nos concitoyens à l'élire.

Barney nous observa d'un air sérieux, ses grosses lunettes reflétant les néons du plafond.

— La tension risque d'être palpable, devina Tolliver. Vous dites que notre note est prête ? L'informatique marche de nouveau ?

— Oui. Nous sauvegardons toutes nos données ce soir afin de ne rien perdre au cours de la tempête. Vous avez dû écouter la météo comme nous tous. Avez-vous un endroit où loger ?

— Oui, répondis-je.

— Vous avez pu récupérer votre chambre au motel, j'imagine. Vous avez eu de la chance.

— Non, intervint Tolliver. Elles sont toutes prises.

Il se leva et s'approcha du guichet pour consulter la facture. Barney continua de me fixer, attendant que je lui révèle où nous allions dormir. Je m'en gardai. Je ne sais pas pourquoi. Un coup sur la tête n'excuse pas tout. Je m'obligeai à être courtoise.

— Existe-t-il une madame Simpson ?

Je m'en fichais éperdument.

— À mon immense regret, plus maintenant. Nous nous sommes séparés il y a plusieurs années. Elle et ma fille se sont installées à Greenville.

— Vous voyez donc votre fille régulièrement.

— Elle vient de temps en temps. Elle est déjà étudiante à l'université ; j'ai du mal à le croire. Et vous ? Vous avez des enfants ?

— Non.

— Ils apportent des joies et des misères, déclara-t-il d'un ton consolateur.

Je décidai de rejoindre Tolliver, à qui Britta était en train de tendre un reçu.

— Puis-je vous inviter à dîner tous les deux ? proposa Barney Simpson.

Nous dissimulâmes tant bien que mal notre stupéfaction. Tolliver m'interrogea du regard.

116

— Merci, mais nous avons déjà des projets. Cependant, nous sommes très touchés.

— Bien sûr, bien sûr.

Britta ferma la fenêtre de son guichet et enfila son manteau. Nous nous dirigeâmes vers la sortie.

— Ce type est tellement seul, murmurai-je.

— Il en pince pour toi, grogna Tolliver.

— Pas du tout ! Je n'ai rien d'une femme à ses yeux. Rien !

— Alors pourquoi souhaite-t-il tout à coup devenir notre meilleur ami ?

— Sans doute parce que nous éveillons sa curiosité. Il n'a peut-être pas l'occasion de rencontrer beaucoup de gens. Je parie qu'il est débordé par son boulot. Nous sommes un divertissement.

Tolliver haussa les épaules.

— Peu importe. Où veux-tu manger ?

— Nous sommes à Doraville. Quelles sont les possibilités ?

— Un *McDonald's* et un *Steaks Satellite*.

— Parfait.

*Steaks Satellite, Golden Corral, Western Grill*, c'est du pareil au même. Apparemment, tous les habitants de Doraville avaient eu la même idée que nous. Nous repérâmes quelques étrangers identifiables qui appartenaient aux équipes de tournage, de nombreux autochtones (qui ne venaient probablement jamais durant la saison touristique) et des voyageurs. La salle était bondée. Manfred et Xylda étaient à une table pour quatre. Sans consulter Tolliver, je fonçai jusque-là et leur demandai si nous pouvions nous joindre à eux.

— Je vous en prie ! s'exclama Xylda.

Elle était maquillée comme une voiture volée. Sa rencontre avec les journalistes devant la grange semblait l'avoir galvanisée. Ses yeux brillaient de tous leurs feux et elle avait noué une écharpe autour de sa tête, à la bohémienne. Les boucles rouges échappées du fichu contrastaient violemment avec la pâleur de son visage à la fois rond et ridé. Je m'installai auprès d'elle et son parfum rance me chatouilla les narines. Tolliver dut s'asseoir à côté de Manfred. Tant mieux pour lui. Manfred n'empestait sûrement pas autant que sa grand-mère.

— Comment te sens-tu ? me demanda Manfred, visiblement inquiet.

— Bien. Je n'ai plus mal à la tête. Mon bras, en revanche, me fait souffrir.

— J'ai su que vous aviez quitté le motel. Je vous croyais partis depuis longtemps.

— Demain ou après-demain, répondit Tolliver. Nous attendons un peu au cas où les gars du SBI auraient encore des questions à nous poser. Ensuite, nous nous en irons. Et vous ?

— Je dois rester jusqu'à demain après-midi au moins, chuchota Xylda. Il va y avoir d'autres morts. Et l'ère de la glace approche.

Là-dessus, nous étions sur la même longueur d'onde.

— La météo prévoit une tempête.

— Nous espérons quitter Doraville avant, nous confia Manfred. Grand-mère ne doit pas rester trop loin d'un grand hôpital. Je vais la ramener à la maison aussi vite que possible.

Je l'observai à la dérobée : il était désemparé. J'eus envie de le serrer dans mes bras.

Xylda semblait à l'écoute d'une voix lointaine. Son état m'inquiétait sérieusement. Avant, je l'avais cata-loguée dans la classe des charlatans sympathiques bien qu'elle ait eu quelques éclairs de génie – malheu-

118

reusement trop rares et espacés. Aujourd'hui, elle paraissait « allumée » constamment.

Je me demandai ce que deviendrait Manfred après sa disparition. Il était très jeune et avait l'avenir devant lui. Il pourrait s'inscrire à l'université ou chercher un emploi stable. Il pourrait devenir apprenti dans un cirque. Ou encore, il pourrait assumer l'existence d'un fraudeur minable à l'image de Xylda. Ce n'était ni le lieu ni le moment de l'interroger sur ses plans.

— Ce petit commettra des meurtres.

Dieu merci, elle s'exprimait à voix basse. Je sus tout de suite qu'elle faisait allusion à Chuck Almand.

— Mais ce n'est pas sûr. Il peut encore s'en sortir. Peut-être son père lui trouvera-t-il un thérapeute capable de l'aider, arguai-je.

Je n'y croyais pas une seconde mais je me devais de lui renvoyer la balle.

Manfred hocha la tête.

— Je n'en reviens pas qu'ils ne l'aient pas arrêté.

— Il est mineur, dit Tolliver. Et il n'y avait pas de témoins. Par ailleurs, le jeter en prison ne servirait à rien. Au contraire. Il y découvrirait peut-être à quel point il prend plaisir à faire du mal aux autres.

— À mon avis, c'est lui qui récolterait les coups, intervins-je. Et il en ressortirait avec le besoin de se venger.

Nous nous réfugiâmes chacun dans nos pensées. La serveuse s'approcha pour prendre nos commandes et demander à Xylda et Manfred s'ils voulaient autre chose à boire. Tous deux acceptèrent et plusieurs minutes s'écoulèrent avant que nous ne puissions reprendre notre conversation.

— Je me demande s'il y a un gosse comme lui dans chaque communauté, annonça Tolliver. Un môme qui aime infliger la douleur, dominer les créatures plus petites.

— On en a connu un à l'école à Texarkana ? m'enquis-je, surprise.

— Oui. Leon Stripes. Tu te souviens de lui ?

Leon mesurait un mètre quatre-vingt-cinq en sixième. Il était noir, il était membre de l'équipe de football et fichait la trouille à toutes les équipes adverses. La plupart de ses coéquipiers devaient le craindre.

Je le décrivis à Xylda et à Manfred.

— Il aimait faire du mal ?

— Oh, oui ! confirma Tolliver. Oh, oui ! Vraiment. À l'entraînement, il plaquait n'importe qui dans le seul but de l'entendre hurler.

J'eus un frémissement de dégoût. De ma main valide, j'ouvris mon sac et en sortis mon flacon de vitamines. Je le poussai vers Tolliver pour qu'il l'ouvre. Il débloqua la sécurité enfant et sortit un cachet que je pris.

— Comment te sens-tu ? demanda Manfred. Ton bras ?

Je haussai les épaules.

— Les médocs fonctionnent plutôt bien. En fait, je me demande si je ne vais pas m'endormir pendant le service funèbre.

— Vous allez guérir rapidement, décréta soudain Xylda.

Et je me demandai si elle avait reçu un signe pour faire cette affirmation ou si elle reposait sur son optimisme.

— Et vous ? N'avez-vous pas été hospitalisée le mois dernier ?

Il existe un forum Internet consacré à ceux d'entre nous qui évoluent dans le paranormal. Je le consulte de temps à autre.

— Oui, mais c'est mauvais pour l'esprit. Trop négatif. Trop de personnes désespérées. Je refuse d'y retourner.

Je m'apprêtais à protester quand Manfred me lança un coup d'œil.

— Je vous comprends, la rassura Tolliver. Harper broie du noir et elle n'y a passé que deux jours.

Je lui aurais volontiers envoyé mon pied dans le tibia, si j'en avais eu l'énergie. Je lui tirai la langue.

Tolliver et Manfred discutèrent voitures en mangeant tandis que Xylda et moi réfléchissions chacune de notre côté. Lorsque Tolliver se leva pour aller aux toilettes et Manfred, pour payer la note, Xylda prit la parole.

— Je vais bientôt mourir.

J'étais encore suffisamment affectée par les antalgiques pour accepter cette déclaration avec calme.

— Je suis désolée d'entendre que vous pensez cela. Avez-vous peur ?

— Non, admit-elle après une courte pause. Je ne crois pas. J'ai profité de ma vie, j'ai essayé de faire le bien. Je n'ai jamais pris de l'argent à ceux qui n'avaient pas les moyens de me payer, j'ai aimé mon fils et mon petit-fils. Je suis convaincue que mon âme se glissera dans un autre corps. Savoir que la partie essentielle de mon être ne disparaîtra pas me réconforte.

— Je comprends.

J'étais complètement à court d'inspiration.

— Vous aurez des réponses à vos questions. Ma vision s'éclaircit au fur et à mesure que je me rapproche de la fin.

— Vais-je retrouver ma sœur, Xylda ? lui demandai-je tout à coup, presque malgré moi. Vais-je retrouver Cameron ? Elle est morte, n'est-ce pas ?

— Vous retrouverez Cameron.

Je baissai le nez.

— Je ne sais pas... murmura-t-elle après un long silence, et je relevai la tête pour essayer de déchiffrer la signification de ses paroles.

Manfred revenait vers nous afin de déposer un pourboire sur la table. Tolliver faisait la queue pour payer notre note.

— Mais il y a des choses plus importantes auxquelles vous devez penser d'abord, acheva Xylda.

Je ne voyais vraiment pas quoi. Je me levai et entrepris de mettre mon manteau. Manfred m'aida à enfiler mon bras droit dans la manche et drapa le reste sur mon épaule gauche. Il se pencha légèrement et déposa un baiser dans mon cou. Le geste fut si nonchalant que je fis mine de l'ignorer. Jusqu'à ce que je rencontre le regard furibond de Tolliver.

— Ce n'était rien, me défendis-je dès que nous fûmes sortis. J'ai à peine fait attention. Manfred est un très jeune homme et sa grand-mère est malade.

J'ignore au juste où je voulais en venir mais les mots m'avaient échappé.

— Dépêchons-nous de nous rendre à cette réunion sans quoi nous serons en retard.

Nous montâmes dans notre voiture et Tolliver mit le chauffage à fond. Il tira sur ma ceinture de sécurité avec plus de force que nécessaire et je poussai un cri de douleur.

— Désolé, grommela-t-il alors qu'il ne l'était pas du tout. Il m'énerve. Il rôde autour de toi, avec tous ses piercings sur le visage et peut-être ailleurs – Dieu sait où. Il meurt d'envie de te toucher.

Au lieu de la boucler et de laisser passer la crise, je m'indignai.

— Personne n'a donc le droit de m'apprécier ?

— Si ! Mais pas lui.

Tolliver aurait-il préféré que je sorte avec Barney Simpson ou le pasteur Doak Garland ?

122

— Pourquoi ?

Un long silence nous enveloppa, durant lequel Tolliver chercha comment me répondre.

— Parce que... parce qu'il a une chance de te séduire. Les autres se désintéressent vite de toi parce que tu voyages constamment et que tu ne les reverras plus jamais. Lui, il comprend ton style de vie et passe aussi son temps sur la route avec Xylda.

J'ouvris la bouche pour protester : « En somme, tu voudrais que je reste célibataire ? » Cependant, quelque chose m'incita à me taire. En fait, j'avais peur que cette scène ne dégénère.

— Il est plus jeune que moi, bredouillai-je.

— Il n'est pas trop jeune, riposta-t-il.

Je m'aperçus que nous avions changé de camp au sujet de Manfred. Soudain, je dus me retenir de sourire. L'antalgique que j'avais pris au chalet était efficace. Une sensation merveilleuse de bien-être m'envahit et j'éprouvai un élan d'affection pour l'humanité tout entière. Si je dois devenir accro un jour, j'opterai pour les antidouleur. Mais je n'ai aucune intention de devenir accro. Une fois mon bras guéri, les cachets iront à la poubelle. Après l'exemple que m'a montré ma mère, je dois me surveiller.

— Pour éviter les drogues, il suffit de ne jamais se blesser, déclarai-je d'un ton sérieux.

Tolliver eut un peu de mal à rattraper le fil de ma conversation.

— En effet, il ne faudrait pas que tu te retrouves de nouveau à l'hôpital. Et d'une, parce que tu ne peux pas prendre le volant.

— Comme si ça t'embêtait !

Il sourit. Mon humeur s'allégea.

— Oui.

Le parking de l'église baptiste du Mont Ida était déjà plein. Un flic local s'efforçait de réguler la circulation. Tolliver lui demanda s'il pouvait me déposer devant le perron et le flic acquiesça. Je pénétrai dans le vestibule pour attendre. Tandis que les fidèles arrivaient, j'aperçus Twyla assise à une table juste dans l'entrée. Une boîte en plastique munie d'une fente sur le dessus trônait devant elle. Sur le devant était posé un panneau : « Aidez nos familles à enterrer leurs enfants. » L'urne était déjà à moitié pleine de billets et de pièces de monnaie.

Twyla me repéra et me fit signe de la rejoindre. Je pris place sur la chaise pliante en face d'elle. Elle se leva à demi et se pencha pour m'étreindre.

— Comment allez-vous, ma fille ?

En tout cas, j'allais mieux que Twyla. Moi, j'allais guérir. Pas elle.

— Bien, murmurai-je. On vous a mise au travail.

— Oui, ils se sont dit que ce serait plus efficace d'assigner ce rôle à un proche. Alors me voici. Si vous affirmez que six de ces garçons étaient d'ici, nous avons besoin d'au moins quatre mille dollars pour chaque enterrement. D'où notre objectif : un montant de vingt-quatre mille dollars. Nous avons disséminé des boîtes comme celle-ci à travers toute la ville mais la région est pauvre. Selon moi, nous devrons nous réjouir si nous parvenons à récolter six mille dollars.

— Comment espérez-vous compléter la somme ? Croyez-vous que ce soit envisageable ?

Twyla parut morose.

— Non. Toutefois, nous faisons ce que nous pouvons. Les familles les plus démunies pourront au moins payer un acompte grâce à ces donations ; elles aviseront pour la suite.

J'opinai.

— Bonne idée... Dommage que les médias ne mettent pas la main à la pâte. Après tout, cette affaire leur rapporte un maximum, non ? Ils devraient contribuer.

Une lueur dansa dans les prunelles de Twyla.

— Excellent ! Pourquoi n'y ai-je pas pensé ? Au fait, que s'est-il passé aujourd'hui chez Tom Almand ? J'entends des rumeurs étranges. Son fils est dans le pétrin ? Bonsoir, Sarah ! Merci ! ajouta-t-elle tandis que la vieille dame jetait quelques dollars dans l'urne.

— Je ne peux pas vous en parler ici.

Personne ne m'avait interdit de divulguer la nature macabre de mes découvertes chez Tom Almand mais je n'y tenais pas. Chuck Almand serait un paria bien assez tôt. Inutile d'accélérer le processus. Si certains paysans font preuve de plus de réalisme à l'égard des animaux que les citadins, nombre des citoyens de Doraville seraient écœurés par les souffrances que Chuck avait infligées à des chats, des écureuils et quelques chiens – surtout si les chats ou les chiens étaient les leurs.

— Mais c'est un enfant dont il vaut mieux se méfier, achevai-je.

— Le shérif prétend qu'on ne pourra pas récupérer les dépouilles avant une semaine, voire plus. Nous avons enfin retrouvé Jeff mais nous ne pouvons pas l'enterrer dignement.

— Les autopsies vont servir à recueillir des indices afin d'attraper son assassin.

— L'idée qu'on l'a découpé en morceaux m'est insoutenable.

Que répondre à cela ? D'autant que j'étais plus ou moins dans les vapes. Je décidai que le plus sage était de garder le silence. Je scrutai la foule sur les bancs. L'église était plus vaste que je ne l'avais cru de prime abord. Les bancs étaient cirés à la perfection et le tapis était neuf. À l'avant, on avait dressé des chevalets avec des photographies agrandies de chacune des victimes et une gerbe de fleurs à la base. J'aurais voulu les regarder de près puisque je les avais « touchés » à ma façon mais je préférai rester discrète.

Les uniformes s'étaient regroupés au premier rang. Je reconnus la chevelure du shérif Rockwell et crus distinguer l'adjoint Rob Tidmarsh, le découvreur des tombes d'animaux.

Les Bernardo nous avaient devancés. Xylda et Manfred avaient pris place du côté droit. De l'endroit où je me trouvais, ils se fondaient dans la masse. Cheveux teints et coiffures en épis abondaient.

Tolliver entra, le visage pincé par le froid. Il glissa un billet de vingt dollars dans la fente. Il fut surpris de me voir auprès de Twyla mais il lui serra la main et lui présenta ses condoléances.

— Merci de nous prêter votre chalet, ajouta-t-il.

Je m'en voulus de ne pas avoir songé à la remercier moi-même.

— Je suis navrée que Harper ait connu cette mésaventure.

Je me sentis mieux à la pensée que je n'étais pas la seule à avoir failli aux bonnes manières.

— J'espère qu'ils démasqueront le coupable. Je suis certaine que c'est le salaud qui a tué notre Jeff. Ah ! J'allais oublier !

Elle pressa un chèque dans mes mains. Je le rangeai aussitôt dans la poche de chemise de Tolliver, puis nous allâmes nous asseoir.

Nous nous immobilisâmes près d'un banc où il restait quelques places. En remarquant mon attelle, les occupants eurent la gentillesse de se pousser pour que nous puissions rester au bord de l'allée. Je les remer-

126

ciai vivement. J'étais soulagée d'être enfin à l'abri des courants d'air.

Petit à petit, les murmures s'estompèrent. Les portes cessèrent de s'ouvrir et de se refermer. Le pasteur Garland apparut, jeune et d'apparence affable. Mais lorsqu'il se mit à lire les textes qu'il avait sélectionnés pour la cérémonie, sa voix ne fut ni douce ni paisible. Il avait choisi un passage de l'Ecclésiaste, nous annonça-t-il. « Il y a un temps pour tout... »

Autour de nous, tout le monde hochait la tête. Tolliver et moi écoutions attentivement. Quel message voulait-il faire passer ? Que le moment était venu pour ces garçons de mourir ? Non, peut-être avait-il insisté sur « un temps pour pleurer ». À savoir, maintenant. Ensuite, nous eûmes droit à des lectures extraites de l'épître aux Romains, dont le fil conducteur était notre propre intégrité dans un monde qui en manquait sérieusement. On était dans le vif du sujet.

Supplier la congrégation d'accepter avec philosophie cette série de meurtres eût été grotesque. Suggérer aux habitants de Doraville de tendre l'autre joue, absurde. Ce n'était pas la joue de la communauté qui avait reçu une gifle. On lui avait volé ses enfants. Ils n'allaient pas en sacrifier d'autres.

Non, Doak Garland était plus intelligent qu'il ne le paraissait. Il expliquait à ses ouailles qu'elles devaient renforcer leur foi en Dieu pour surmonter ce moment douloureux, que Dieu les y aiderait. Personne n'allait le contredire. Pas ici, pas ce soir. Pas devant ces visages immortalisés sur le papier qui nous faisaient face. Un assistant apporta deux autres chevalets sans portraits. Les deux inconnus. Ce geste me toucha.

— Voici les jeunes de notre communauté, dit Doak en les désignant. Et en voici deux qui nous sont étrangers. Mais ils ont été tués et ensevelis auprès des nôtres et nous devons prier pour eux aussi.

Mon regard se posa sur la photo d'un garçon à la mine renfrognée, l'air d'une brute... Je l'avais vu dans sa tombe, battu et mutilé, torturé, violé. Soudain, tandis que Doak Garland haussait le ton de son sermon, j'eus les larmes aux yeux. Tolliver extirpa un mouchoir en papier de sa poche et me tapota le visage. Il semblait désemparé. Jamais je n'avais réagi ainsi.

Nous chantâmes une ou deux hymnes, nous priâmes longtemps et fort. Une femme s'évanouit et il fallut l'évacuer dans le vestibule. Quand Barney Simpson passa parmi nous avec une coupe pour recueillir des dons supplémentaires en vue des obsèques, un homme deux rangs devant nous tourna la tête en la tendant à son voisin. À mon immense surprise, je reconnus Tom Almand. Il avait amené son fils et j'en fus choquée. Il aurait dû rester chez lui avec l'enfant. Chuck portait un poids trop lourd pour lui, il n'avait rien à faire dans une atmosphère imprégnée de chagrin et d'horreur. À moins que son père n'ait voulu lui rappeler que d'autres avaient des problèmes plus graves que les siens ? Je ne suis pas thérapeute. Tom était sûrement mieux à même d'en décider que moi.

Je serrai le bras de Tolliver et il me dévisagea d'un air inquiet. Il commençait à s'agiter, il était pressé d'en finir. D'un signe de tête, je lui indiquai Tom Almand et Chuck. Comme s'il avait senti nos regards sur lui, Almand se retourna légèrement. Je m'attendais à ce qu'il paraisse dégoûté, ou furieux, ou angoissé. Que ressent le père d'un fils comme Chuck ? Je n'en avais pas la moindre idée mais ce devait être un mélange d'émotions.

Tom Almand était impassible. M'avait-il seulement reconnue ?

128

Les poils de ma nuque se hérissèrent. J'aurais volontiers mis quarante dollars de plus dans la coupe si j'avais pu déchiffrer les pensées d'Almand.

— Hmmm, murmura Tolliver.

En un mot comme en cent.

La quête était terminée et le silence revint. Mais un frémissement parcourut l'assemblée quand un homme trapu en costume mal taillé se dirigea vers le pupitre.

— Pour ceux qui ne me connaissent pas, je suis Abe Madden. Je sais que certains d'entre vous me reprochent de ne pas m'être rendu compte plus vite qu'on avait tué ces garçons. Peut-être ai-je laissé ce que je *voulais faire* supplanter ce que j'*aurais dû faire*. Je voulais que ces adolescents soient de simples fugueurs. J'aurais dû approfondir les recherches, multiplier les interrogatoires. D'aucuns me l'ont dit à l'époque. D'autres étaient de mon avis. Aujourd'hui, j'ai conscience de m'être trompé et je vous demande de me pardonner une erreur gravissime. J'étais votre serviteur pendant mon mandat et je vous ai déçus.

Sur ce, il retourna s'asseoir.

Je n'avais jamais rien entendu de pareil. Cette intervention avait dû lui coûter. Tolliver était moins impressionné.

— Maintenant qu'il s'est confessé, il demande qu'on lui pardonne, chuchota-t-il. On ne peut plus le pointer du doigt : il a payé sa dette.

Un membre de chaque famille prit la parole tour à tour. Dans l'ensemble, leurs discours – courts ou longs – furent pondérés. Je ne perçus aucune allusion homophobe. Leur colère était dirigée contre le viol, pas contre la préférence sexuelle de l'agresseur. Seuls deux d'entre eux exprimèrent un désir de vengeance mais uniquement dans le cadre de la loi. Nul ne brandit le poing, nul n'évoqua la possibilité d'un lynchage. Ils étaient accablés par la douleur et soulagés.

— Nous savons au moins que c'est fini, conclut le dernier. Nos fils ne mourront plus.

Je vis Manfred agripper le bras de Xylda. Elle avait tourné son visage vers lui. Elle paraissait en colère et impatiente. Au bout de quelques secondes, elle se calma.

Nous aurions pu nous éclipser à ce moment-là. J'étais fatiguée et j'avais mal. Je n'avais qu'une envie : poser ma tête sur l'épaule de Tolliver et m'endormir. Je m'obligeai à me concentrer en me redressant et en maintenant les yeux grands ouverts. Enfin la cérémonie s'acheva et nous chantâmes une dernière hymne. Ouf ! Nous étions libres de partir. Je me levai la première puisque j'étais en bout de banc. Un homme en salopette me saisit la main.

— Merci, jeune fille, marmonna-t-il avant de foncer vers la sortie.

À ma stupéfaction, ce fut le début d'une longue série de « Merci » et de « Que Dieu veille sur vous ». Ce n'était jamais arrivé auparavant. Ça n'arriverait plus jamais. Doak Garland m'étreignit. Barney Simpson me tapota le dos. Parker McGraw me salua d'un « Dieu vous bénisse » et Bethalynn sanglota en serrant son cadet contre son cœur.

Personne ne me demanda comment j'avais retrouvé les garçons. La foi de Doraville semblait s'accrocher à l'acceptation de la volonté mystérieuse de Dieu et des étranges instruments qu'il choisissait pour la réaliser.

J'étais cet étrange instrument, évidemment.

# Chapitre 8

Quelques voitures nous suivirent sur la longue route jusqu'au lac de Pine Landing. Le petit hameau de Harmony était situé un peu plus loin et d'autres que nous résidaient au bord de l'eau, aussi je tentai de me rassurer. Lorsque nous bifurquâmes, elles poursuivirent leur chemin. Tolliver se garda de tout commentaire et, ne voulant pas passer pour une paranoïaque, je me tus aussi.

Nous n'avions pas allumé la lumière extérieure – y en avait-il seulement une ? – et je m'efforçai de repérer les marches avant que Tolliver n'arrête le moteur. Les phares mettraient plusieurs secondes à s'éteindre. Je me dépêchai de gagner l'escalier tant que j'y voyais clair.

— Qu'est-ce que c'est que ça ? m'exclamai-je en percevant un bruit étrange dans les buissons.

Stoppant net, j'aperçus la silhouette d'un petit animal qui traversait l'allée et disparaissait dans les bois séparant notre chalet du chalet voisin, presque invisible à travers les broussailles.

— Un raton laveur, déclara Tolliver d'une voix empreinte de soulagement.

À cet instant, les phares s'éteignirent et nous poursuivîmes dans un silence angoissé. Tolliver avait sorti la clé. Après un essai ou deux, il réussit à ouvrir la porte. Je cherchai à tâtons l'interrupteur et – ô miracle ! – le plafonnier s'illumina.

Le feu s'était presque éteint en notre absence. Tolliver se précipita pour le ranimer. Décidément, il jouait son rôle de boy-scout à merveille ! Je le soupçonnai d'un élan de machisme. Non seulement sa compagne (moi, en l'occurrence) blessée requérait toute son attention mais il se devait de me procurer chaleur et confort. À ce train-là, il n'allait pas tarder à dessiner des fresques sur les murs. J'esquissai un sourire et quand il se tourna vers moi, il parut surpris.

— Tu es prête à te coucher ?

— En tout cas, je suis prête à me mettre en pyjama et à bouquiner.

Il était terriblement tôt, mais j'étais à bout de forces. Il ouvrit ma valise, me tendit mon pantalon en flanelle et la tunique assortie. Il m'avait offert cet ensemble bleu marine agrémenté de croissants de lune et d'étoiles en paillettes d'argent pour Noël. Sur le moment, je n'avais pas su quoi lui dire mais depuis, j'y avais pris goût.

— Tu as besoin d'aide ? me demanda-t-il, vaguement gêné.

Nous sommes habitués à nous voir en petite tenue quand nous partageons une chambre de motel mais nous restons très pudiques.

— Si tu pouvais me donner un coup de main pour ôter mon chemisier et dégrafer mon soutien-gorge, murmurai-je...

Une infirmière avait dû m'assister le matin.

Je pénétrai dans la salle d'eau rudimentaire, nettement plus fraîche que la pièce principale car éloignée de la cheminée, et entrepris la tâche incroyablement compliquée de me déshabiller. Malheureusement, mes chaussettes présentaient un défi insurmontable. Nous avions préparé des serviettes avant de partir. Je me contenterais donc de me laver la figure. Quelques grognements et jurons plus tard, j'étais parvenue à enfiler mon bas de pyjama. J'émergeai à reculons en appelant Tolliver au secours pour le reste.

— Tes bras et tes côtes sont couverts de bleus, constata-t-il après un long silence.

— Oui, bon... ça arrive quand on vous tabasse. Enlève-moi mon soutien-gorge, s'il te plaît. Je suis gelée.

Je sentis à peine ses doigts tandis qu'il le détachait.

— Merci, marmonnai-je en réintégrant précipitamment la salle d'eau.

Mission accomplie ! Je rassemblai mes affaires et ressortis en poussant mes chaussures du bout du pied. Je n'avais pas retiré mes chaussettes. Trop froid.

Tolliver avait préparé mon lit et retapé les oreillers. Mon livre était sur la table de chevet, à savoir du mauvais côté par rapport à mon bras valide. Je n'avais pas pensé à ce détail en choisissant ma place habituelle.

Je me couchai et il me recouvrit.

— Je suis bordée, murmurai-je. Tu me lis une histoire ?

— Débrouille-toi, marmotta-t-il.

Mais il souriait et se pencha pour m'embrasser.

— Tu as été formidable aujourd'hui, Harper. Je suis fier de toi.

Franchement, qu'avais-je fait de spécial ?

— Ce fut une journée comme une autre, répliquai-je en fermant les yeux.

Il rit mais je m'assoupissais déjà.

Je me réveillai avec le jour. Je n'avais même pas eu à me lever dans la nuit pour faire pipi. Tolliver dormait toujours dans le lit à ma gauche. Les fenêtres étaient dénuées de rideaux et j'apercevais les arbres au-dehors.

Je tournai la tête pour admirer le paysage. Le ciel était clair, le vent soufflait. Le temps avait l'air glacial. Si les météorologistes ne s'étaient pas trompés, ce serait le meilleur moment de la journée.

Avec un peu de chance, nous pourrions nous échapper dans les heures à venir et nous diriger vers la Pennsylvanie. Il ferait aussi froid là-bas, voire davantage mais j'espérais éviter la tempête de neige prévue. Je ne reverrais sans doute jamais Twyla Cotton. Chuck Almand ferait peut-être la une des journaux d'ici quelques années lorsqu'on l'arrêterait pour meurtre. Son père sangloterait en se demandant où il avait fait fausse route. Après notre départ, Doraville pleurerait ses morts et s'efforcerait tant bien que mal de gérer l'invasion des reporters. Les pompes funèbres connaîtraient un accroissement inattendu de bénéfices. Les motels et les restaurants aussi. Le shérif Rockwell se frotterait les mains en voyant repartir les gars du SBI.

Manfred et sa grand-mère retourneraient chez eux dans le Tennessee. Dans les mois prochains, Xylda mourrait. Manfred se retrouverait seul et entamerait sa propre carrière en vendant ses dons de médium aux ignorants comme aux érudits. Parfois il serait sincère, parfois il le serait moins. Je repensai à la réaction de Tolliver envers Manfred et ébauchai un sourire. Certes, Manfred éveillait ma curiosité, sans toutefois correspondre à l'image que je me faisais de l'homme idéal. Son désir de me plaire, de me rendre désirable... quelle femme y serait demeurée insensible ? Quant à approfondir la relation... flirter avec lui m'amusait plus que de franchir l'étape suivante. Je n'étais pas beaucoup plus âgée que lui mais je me sentais nettement plus mûre, à plus d'un égard.

À présent, j'avais un besoin urgent de soulager ma vessie. Poussant un soupir, je me redressai et tentai de me lever le plus discrètement possible afin de ne pas

134

déranger Tolliver. Les événements de la veille l'avaient épuisé au moins autant que moi.

Je me brossai les cheveux d'une main – obtenant un résultat très moyen – puis les dents. Ouf ! J'allais déjà mieux. J'ouvris tout doucement la porte. Tolliver n'avait pas bougé. Je m'approchai de l'âtre sur la pointe des pieds et y déposai quelques bûches. À mon immense satisfaction, le feu reprit.

— Bravo ! lança Tolliver d'une voix ensommeillée.

Je m'étais installée sur l'une des deux chaises qu'il avait disposées devant la cheminée. Les coussins délavés sentaient le moisi. Normal. Les propriétaires devaient apporter ici ce dont ils ne voulaient plus. Inutile d'acheter des meubles neufs pour un lieu où ils venaient se détendre, rentraient mouillés après la baignade dans le lac. Et puis, à quoi bon attiser la convoitise des voleurs ? Une fois de plus, je me réjouis que Twyla Cotton nous ait prêté son chalet, loin des hordes de journalistes. En même temps, j'aurais été plus à l'aise dans un motel.

Tolliver avait branché son téléphone portable sur le secteur pour le recharger. Soudain, il se mit à sonner.

— Zut ! grogna-t-il.

J'étais d'accord : je n'avais aucune envie de parler.

— Allô ?... Je suppose que oui. Entendu.

Il raccrocha en gémissant.

— C'était Klavin, l'agent du SBI. Il nous attend au poste dans une heure.

— J'ai besoin d'un café avant d'affronter les flics.

— Moi aussi.

Il descendit du lit, s'étira.

— Bien dormi ? me demanda-t-il.

— Comme une masse.

Je m'étirai à mon tour.

— Je vais me doucher. Et toi ?

— Je vais devoir me contenter d'un coup d'éponge. Il ne faut pas que je mouille mes pansements.

— Je me dépêche.

Tolliver est un rapide. Quelques minutes plus tard, il reparut en se séchant les cheveux avec sa serviette. J'étais encore en train de tergiverser sur ce que j'allais mettre. Je réussis à enlever mon pyjama toute seule et à me laver – plus ou moins – mais m'habiller présentait un véritable défi. Pas facile d'établir un équilibre entre besoin et modestie. Je dus demander à Tolliver d'agrafer mon soutien-gorge.

— Qu'est-ce que je suis content de ne pas avoir à porter ce machin ! Ce serait tellement plus simple si la fermeture était devant !

— Ça existe.

— Donne-moi ta taille, je t'en achèterai un pour ton anniversaire.

— Je t'imagine bien au rayon lingerie féminine, raillai-je.

Il sourit.

Nous avions quelques minutes devant nous pour nous arrêter chez *McDonald's* déguster leurs fameux pancakes. J'affirme détester *McDo* à qui veut l'entendre mais je dois avouer que les pancakes sont délicieux, de même que le café. De surcroît, il y faisait bon. Les fenêtres étaient embuées, l'endroit rempli d'hommes fraîchement rasés, en bottes et parkas de chasse. Certains s'apprêtaient à aller creuser sur la scène du crime, d'autres à vaquer à leurs affaires habituelles. La présence de la mort ne suffisait pas à paralyser Doraville. Une pensée réconfortante. Quand on exerce un métier comme le mien, on attache d'autant plus d'importance au « fleuve de la vie ».

La perspective de quitter l'atmosphère chaleureuse de *McDonald's* – oui, je sais, je devrais avoir honte –

pour subir un interrogatoire en règle m'insupportait. Cependant, nous tenions à nous présenter à l'heure au rendez-vous dans l'espoir de pouvoir quitter la ville aussitôt après. Toutefois, Tolliver avait laissé toutes nos affaires au chalet. Nous devions y retourner pour y faire un brin de ménage avant de rendre la clé.

Nous n'avions pas pensé à téléphoner au préalable et aucun policier n'était là pour nous ouvrir l'accès au parking derrière le poste. Nous fûmes donc obligés de braver les requins de la presse à coups de « sans commentaires ». Personne n'osa nous suivre à l'intérieur.

Une fois installés à la table d'une salle de conférences avec les gobelets de café que nous avions emportés avec nous, nous dûmes patienter un bon moment. Devant nous était étalé un plan de la « Propriété Don Davey » criblé d'inscriptions. De l'endroit où nous étions, Tolliver avait du mal à les lire mais je le gratifiai d'un coup d'œil moqueur et le fis à sa place.

— La première tombe est marquée « Jeff McGraw ». Toutes les autres portent le nom du garçon que l'on a exhumé.

Je m'exprimais à voix basse, comme si j'avais peur de déranger les morts.

— Celles des deux victimes étrangères à la ville aussi, ajoutai-je. Apparemment, on a pu les identifier. Chad Turner et James Ray Pettijean.

Je rapprochai ma chaise de celle de Tolliver.

— Les autopsies doivent être terminées.

Je me soucie peu de ce que devient le corps, une fois l'âme envolée. Ce n'est plus qu'un déchet.

— Il ne restait plus rien ? s'enquit tout bas Tolliver, au cas où les murs auraient des oreilles.

— Non, répondis-je avec tout autant de précaution. Aucune âme, aucun spectre.

La différence est de taille. De temps en temps, je vois des âmes qui rôdent autour de défunts récents. Je n'ai rencontré qu'un seul spectre.

Pell Klavin et Max Stuart entrèrent à cet instant précis. Tous deux paraissaient fatigués. Je me demandai s'ils avaient appelé du renfort. Ils s'affaissèrent sur leurs sièges en face de nous.

— Que pouvez-vous nous dire que nous ne sachions déjà ? attaqua Stuart.

Leur manque de courtoisie élémentaire m'irrita tout d'abord mais je me dis qu'ils avaient dû passer la nuit à examiner les dossiers des adolescents. À leur place, je n'aurais sans doute pas non plus eu le courage de me répandre en politesses.

— Probablement rien. Je ne fais que retrouver les corps. J'ai un don pour cela mais je ne suis pas détective.

— On ne peut pas continuer ainsi à en déterrer.

— Je pense que vous les avez tous. Du moins, ceux qui se trouvent sur cette propriété.

— Comment savez-vous qu'il n'y en a pas d'autres ailleurs ?

— Je n'en sais rien. Mais il n'y a pas de limite de dates.

Tous deux se penchèrent en avant, avides d'explications.

— Les dates de décès sont largement espacées. Les meurtres s'étalent sur plusieurs années, six au minimum. Le jeune McGraw n'est mort que depuis trois mois. À moins que l'assassin n'ait été actif depuis très, très longtemps, il y a de grandes chances pour que toutes ses victimes soient rassemblées sur ce site. Il en avait peut-être un autre auparavant. J'ai la certitude qu'il va en choisir un nouveau. Mais à cet endroit, il n'y en a pas d'autres.

Je haussai les épaules. Ce n'était qu'une opinion.

Stuart et Klavin échangèrent un regard.

— Au passage, tous ceux-là ont été tués sur place. J'en déduis que vous avez tous les cadavres.

Stuart parut enchanté.

— En effet, nous sommes d'avis qu'ils ont tous été massacrés dans le garage.

Je repensai aux portes entrouvertes et me félicitai de ne pas y avoir mis les pieds.

— Souhaitez-vous que je me rende sur un autre site ?

Pourvu que non !

Max Stuart secoua la tête.

— Nous ignorons comment vous procédez. Si nous n'avions pas vu les résultats de votre intervention, nous n'aurions jamais cru en vous. Cependant nous avons vu tous les corps, on nous a raconté comment vous les aviez retrouvés et rien ne nous permet d'établir un lien entre vous et un habitant des environs. Nous sommes donc contraints d'admettre que vous avez un don étrange. Nous n'en connaissons pas les limites. Pouvez-vous nous dire quoi que ce soit au sujet de ces garçons ?

Le pauvre ! Cet aveu avait dû lui coûter. Je faillis nier machinalement mais me ravisai. Je m'efforcerais d'être aussi claire que possible.

— Je vois l'instant de la mort. Je vois leurs cadavres dans les tombes. Attendez...

Je fermai les yeux et me cramponnai de ma main valide à l'accoudoir. On avait jeté les vêtements par-dessus les victimes...

— La plupart d'entre eux avaient un crucifix sur le torse, n'est-ce pas ?

Klavin sursauta. Stuart tourna la tête vers le tableau de meurtre comme si mon commentaire était imprimé au-dessus des noms des adolescents.

— Doraville est une communauté de croyants ; ce pourrait n'être qu'une coïncidence, repris-je.

Je fouillai ma mémoire. Ah !

— Des os fracturés... certains d'entre eux avaient des os fracturés.

— Conséquence de la torture ? intervint Tolliver.

— En partie. Mais par le passé, quatre d'entre eux au moins avaient souffert d'une fracture quelconque.

J'eus un mouvement des épaules.

— Cela signifie-t-il que tous étaient des enfants battus ? Est-ce le fil conducteur ? questionna l'agent Stuart d'un ton urgent. Quel était le point commun entre tous ces gosses ? Pourquoi les a-t-il pris pour cible ?

— Je l'ignore. Mes visions sont des sortes de flashs : le corps, les émotions, la situation. Je ne vois pas la personne qui a provoqué le décès.

— Dites-nous tout ce que vous savez, m'encouragea Klavin.

Je les dévisageai tour à tour d'un air suspicieux. Ils m'écouteraient, bien sûr, puis ils me contempleraient avec mépris et m'accuseraient de délirer. Ce ne serait pas la première fois. Je connais la chanson : « Oh, je vous en prie, le moindre détail pourra nous aider. » Ensuite, j'ai droit à : « Ah, bon ? Rien que ça ? »

Klavin interpréta mes pensées avec perspicacité.

— Nous vous promettons de ne pas vous manquer de respect. Nous savons que vous avez eu des problèmes avec les autorités par le passé.

Je réfléchis. Je songeai au chèque que Twyla Cotton avait glissé dans ma main la veille, d'un montant bien supérieur à celui que nous avions demandé au départ. Je songeai aux familles rassemblées dans l'église, à leur chagrin, à leur terreur. Tant pis si ces hommes que je ne reverrais jamais me ridiculisaient.

J'inspirai profondément et, paupières closes, m'obligeai une fois de plus à « pénétrer » dans l'une des tombes. Je pointai le doigt sur celle située le plus près de la route.

— Voici Tyler. Il a été martyrisé. On lui a découpé la peau en bandes de chair. On l'a violé. On lui a mis des pinces aux testicules. Il était pressé de mourir car il savait que personne ne viendrait à son secours. La cause du décès est la strangulation. Il s'était cassé une jambe assez récemment.

L'un des agents reprit son souffle. Je n'ouvris pas les yeux pour voir lequel des deux. Tolliver me serra la main. Dans mon esprit, je m'approchai de la tombe suivante.

— Hunter. Fouetté, sodomisé, marqué au fer rouge ; il a cru jusqu'à la dernière minute que quelqu'un viendrait le sauver. Il a survécu deux jours. Cause du décès : hypothermie.

Hunter avait succombé au froid et à l'humidité d'une journée comme aujourd'hui. Ce devait être le disparu du mois de novembre.

— Pas de fractures. Il souffrait de... d'une scoliose, précisai-je tandis qu'une image de la colonne vertébrale m'apparaissait.

La litanie se poursuivit, interminable. Violences sexuelles, mutilations. Des adolescents utilisés puis jetés. Les deux étrangers n'avaient pas de problèmes osseux particuliers, ceux de Doraville, si... hormis Jeff McGraw et Aaron Robertson. On en était donc à cinquante/cinquante. La piste des fractures menait à une impasse.

— Le meurtrier aurait pu les poignarder, les abattre ou les empoisonner – ils auraient péri instantanément. Au contraire, il les a laissés mourir.

— Comme si tuer était un réflexe qui venait après coup, ou une expérimentation, supputa Stuart.

Tolliver avait verdi.

— Ce n'est pas ce que nous raconte l'autre voyante, argua Klavin. D'après elle, le tueur a pris un « plaisir orgasmique » à les regarder mourir.

— Alors Xylda a sans doute raison, répliquai-je. Je ne suis pas médium, elle l'est. À moins que...

Je me tus. Les deux agents m'observaient avec cette expression que je connais si bien : « Attention ! Elle va raccorder ses visions à celles de l'autre cinglée. »

Lentement, avec réticence, je me jetai à l'eau :

— Et s'il y avait eu deux meurtriers ?

Tous deux me dévisagèrent avec ahurissement. Je cerne beaucoup moins bien les vivants que les morts. Jusqu'ici, je ne m'en étais pas trop mal sortie avec ces représentants du SBI mais tout à coup, j'étais incapable de les décrypter.

— Je ne peux rien vous dire de plus, annonçai-je en me levant.

Tolliver m'imita.

— Pouvons-nous quitter la ville ?

— À condition de nous dire comment nous pouvons vous joindre avant que vous et votre frère ne repreniez la route, rétorqua Stuart d'un ton sous-entendant que plus vite nous déguerpirions, mieux il se porterait.

— Je ne suis *pas* son *frère* ! proclama Tolliver, furieux.

— Ah, bon, marmonna Stuart, visiblement surpris. Peu importe. Vous pouvez vous en aller.

J'étais tellement sidérée par l'éclat de Tolliver que j'eus du mal à ramasser mon sac avant de lui emboîter le pas. Il fonça hors du bâtiment, me traînant dans son sillage. Je le rattrapai alors qu'il atteignait notre voiture. Les mains posées sur le capot, il fixait la peinture grise de la carrosserie. Les quelques journalistes qui avaient tenu bon nous assaillaient de questions mais nous les ignorâmes.

Que dire ? Je demeurai clouée sur place et attendis. Je serais volontiers montée dans le véhicule mais Tolliver avait les clés. Le ciel s'était assombri. J'étais désemparée.

Pour finir, sans un mot, il se redressa, ouvrit les portières d'un clic. Je m'installai du côté passager. Tolliver se pencha pour attacher ma ceinture.

— Direction ?

— Le cabinet médical.

— Tu as mal ?

— Oui.

Il inspira, retint son souffle, expira.

— Pardon.

— D'accord, murmurai-je, sans trop savoir sur quel terrain nous marchions.

J'avais ma petite idée. Certains sont plus dangereux que d'autres.

Tolliver avait repéré le cabinet médical lors d'un aller-retour entre l'hôpital et le motel. L'édifice en briques rouges était de taille modeste mais six voitures au moins occupaient déjà le parking. En entrant, je me dis que j'en avais pour un bon moment. L'homme qui n'est pas mon frère s'approcha du guichet et expliqua à la réceptionniste que j'avais été soignée par le Dr Thomason aux urgences.

— Nous allons devoir la glisser entre deux rendez-vous ; ça risque d'être long.

La femme remonta ses lunettes sur son nez, tapota son casque de cheveux laqués, pour s'assurer qu'il était en place, je suppose. Le charme de Tolliver avait opéré une fois de plus. Il revint près de moi avec des formulaires à remplir.

— Apparemment, nous avons tout le temps, m'informa-t-il.

J'étais dans une chaise en plastique moulé bleu poussée contre le mur du fond. Autour de nous, je comptai une jeune maman avec son bébé (endormi, heureusement !), un vieil homme avec un déambulateur et un adolescent nerveux qui ne cessait de faire claquer ses genoux.

Une infirmière surgit sur le seuil.

— Sallie et Laperla !

La mère, elle-même à peine sortie de l'adolescence, se leva en serrant le nourrisson dans ses bras.

— Je me demande si elle connaît la marque de lingerie féminine La Perla, confiai-je tout bas à Tolliver.

Ce trait d'esprit lui arracha un semblant de sourire.

Le garçon changea de place pour se rapprocher de nous.

— Vous êtes celle qui a retrouvé les corps.

Nous le dévisageâmes et j'acquiesçai.

Maintenant qu'il m'avait dit qui j'étais, il était à court d'inspiration.

— Je les connaissais, déclara-t-il enfin. Des types bien. Bon, Tyler faisait des bêtises de temps en temps. Et Chester avait abîmé l'Impala neuve de son paternel. Mais on appartenait tous au Groupe des jeunes de Mont Ida.

— Tous ?

— Sauf Dylan, qui était catholique. Ils ont leur propre groupe.

D'ordinaire, ce genre de conversation m'ennuie. Là, j'étais tout ouïe.

— Tu as lu le journal aujourd'hui ? lui demandai-je.

— Oui.

— Les deux autres, tu les avais déjà rencontrés ?

144

— Non. Jamais entendu parler. Ils venaient de loin. Ils devaient faire du stop.

La maman émergea du cabinet. À présent, le poupon hurlait. Elle s'arrêta deux minutes au guichet avant de sortir. Dehors, il s'était mis à pleuvoir. Elle allait devoir courir jusqu'à sa voiture. L'infirmière appela le vieillard qui se leva péniblement. Il s'engouffra dans le sanctuaire du médecin, précédé de son déambulateur dont les pieds avant étaient protégés par des balles de tennis fendues.

— Rory ! vociféra l'infirmière.

L'ado se leva d'un bond pour les rejoindre.

Maintenant que nous étions seuls, je me dis que Tolliver allait en profiter pour me parler. Il ferma les yeux. Il me bannissait exprès de son univers. Pourquoi ? S'il était énervé pour une raison mystérieuse, j'aurais pu l'envoyer balader. Si je l'avais blessé, ou s'il nourrissait un grief, je voulais l'aider. Mais s'il continuait à se comporter comme un imbécile buté, qu'il marine dans son jus !

Je calai ma tête contre le mur, paupières closes.

Nous devions avoir l'air de deux idiots.

Au bout d'une dizaine de minutes, l'homme âgé reparut. Rory se propulsa devant lui pour lui tenir la porte.

— Piqûre contre les allergies ! nous lança-t-il d'un ton enjoué.

Pour lui ou pour le vieux ? Je n'en avais aucune idée mais je hochai la tête avec compassion.

— Mademoiselle Connelly, annonça l'infirmière.

C'était une jolie femme d'environ quarante-cinq ans, mince, aux cheveux noirs et aux yeux d'un bleu vif. Rien qu'à la regarder, je me sentis mieux.

Tolliver m'aida à me lever en me tirant par la main. Nous pénétrâmes dans la cabine. Elle me pesa, me mesura, prit ma tension (impeccable !). Puis elle commença à me poser des questions. J'avais déjà tout inscrit sur les formulaires.

— En somme, vous souhaitiez simplement voir le Dr Thomason pour qu'il jette un coup d'œil sur vos blessures ?

Elle semblait dubitative.

— Oui. Je souffre beaucoup mais peut-être est-ce parce que je suis déprimée.

— Évidemment, vu votre activité, cela peut se comprendre.

— Vous devez l'être aussi.

— Parce que la plupart de ces garçons étaient nos patients ? Oui, nous sommes très, très tristes. On n'imagine pas que cela puisse arriver à des gens que l'on connaît. Or nous les connaissions tous, bien que deux d'entre eux fussent des patients du Dr Whitelaw.

— La grand-mère de Jeff m'a dit qu'il était venu récemment, mentis-je.

— Vous faites erreur. Jeff consultait le Dr Whitelaw.

— Ah, désolée.

— Aucun problème. Je signale au Dr Thomason que vous êtes prête.

Elle s'éclipsa, cédant sa place au médecin.

— Bonjour, jeune fille ! s'exclama le Dr Thomason. D'après Marcy, vous n'êtes pas au mieux de votre forme. Vous avez quitté l'hôpital... voyons... hier, c'est bien cela ?

Il secoua la tête comme s'il n'en revenait pas que le temps passe aussi vite.

— Je vais vous examiner. Pas de fièvre, la tension est bonne, marmonna-t-il en parcourant la feuille que lui avait remise Marcy.

Il se comportait comme si Tolliver n'avait pas été là. Il scruta, palpa, tâta, écouta. Il enchaîna les questions

146

sans écouter mes réponses… comme s'il était persuadé que je mentais, ou comme s'il se fichait de connaître la vérité. Il se plaça juste devant moi. Comme j'étais sur la table d'examen, son regard était légèrement plus bas que le mien. Il me contempla, les yeux brillant derrière ses lunettes cerclées d'or, et me sourit.

— Vous me semblez aller le mieux possible après l'agression que vous avez subie, mademoiselle Connelly. Inutile de paniquer. Vous êtes en bonne voie de guérison. Il vous reste suffisamment de cachets antidouleur, j'espère ?

— Oui.

— Tant mieux. Si vous aviez déjà tout avalé, je m'inquiéterais. Selon moi, vous êtes apte à voyager.

— Merci. Et merci de m'avoir reçue.

— C'est ça. Bonne chance !

Il s'éloigna, sa blouse claquant sur ses jambes. Clairement, il était enchanté à l'idée que je quitte la ville. Tolliver me donna un coup de main pour descendre de la table d'examen et nous regagnâmes le guichet pour payer la consultation. J'aperçus un énorme meuble-classeur au fond du bureau. Si j'avais été détective, j'aurais trouvé le moyen de me débarrasser de l'infirmière et de la réceptionniste pour tenter de récupérer les dossiers des adolescents morts. Comme dans les séries télévisées. Mais je ne suis pas détective. Les scénaristes sont doués. Dans la vraie vie, le seul moyen d'accéder à des archives privées consiste à s'introduire par effraction dans les lieux. Ce n'était pas mon intention. Mon besoin de démasquer le coupable ne me poussait pas à de telles extrémités. Je n'avais aucune envie d'atterrir en prison.

D'ailleurs, de quoi me mêlais-je ? L'enquête était en cours. L'assassin serait arrêté. Il finirait derrière les barreaux après un long et sordide procès.

— Quelque chose me chiffonne, dis-je tout à coup, car le silence de Tolliver finissait par me taper sur les nerfs. Cette affaire pue.

— Huit garçons sont morts.

— Oui. Mais il y a un truc qui cloche.

— À savoir ?

— J'ai l'impression que quelqu'un est en danger.

— Pourquoi ?

— Aucune idée. C'est juste... Qu'est-ce que tu fais ?

— On retourne au chalet.

— Chercher les bagages ?

— Le médecin t'a donné le feu vert.

J'allumai la radio. Comme l'avaient prévu les météorologues, la température était en chute libre.

« Alors, Ray, le temps pour aujourd'hui ? susurra la présentatrice d'une chaîne locale.

— En un mot, Candy... restez chez vous ! Une tempête de glace va s'abattre sur la région. La police des autoroutes déconseille aux conducteurs de rouler ce soir. Attendez demain matin pour savoir si l'alerte a été levée.

— Si je comprends bien, nous devons rentrer du bois et louer une pile de DVD ?

— Oui. Vous pourrez les visionner jusqu'à la coupure d'électricité, ricana Ray. Mes amis, sortez les jeux de société, munissez-vous de lampes de poche et de bougies et faites le plein d'eau minérale. »

Ils continuèrent à assommer les auditeurs d'une avalanche de recommandations pendant deux à trois minutes.

Tolliver se gara devant un supermarché.

— Reste dans la voiture. Pas la peine de te faire bousculer.

Je ne discutai pas : le magasin était bondé et les gens en émergeaient en poussant des caddies débordants de

148

produits de première nécessité. Je m'emparai du plaid que nous laissons toujours sur la banquette arrière en hiver.

Nous n'étions que deux et n'avions pas l'intention de prolonger indéfiniment notre séjour. Tolliver n'avait donc pas beaucoup de courses à faire. Pourtant, il mit au moins quarante-cinq minutes.

De retour au chalet, je décidai de lui donner un coup de main pour décharger le coffre en déposant un paquet à la fois à mi-montée de l'escalier pour que Tolliver prenne le relais. J'étais contente de participer mais l'exercice m'éreinta.

Il me restait une tâche à accomplir. Par précaution, je déplaçai la voiture en marche arrière jusqu'en haut de l'allée afin de la garer parallèlement à la route. Une manœuvre difficile avec une seule main mais au moins, nous n'aurions pas à faire la manœuvre sur une pente glacée. Je verrouillai les portières et regagnai la bâtisse à pas prudents.

Ted Hamilton nous rendit une brève visite un peu plus tard pour s'assurer que nous nous étions prémunis contre le mauvais temps. Son épouse, Nita, était avec lui. Elle était aussi petite, menue et leste que son mari. Tous deux semblaient excités à l'approche de la tempête.

Tolliver avait monté du bois et le couple l'en félicita. Nous dépliâmes les deux chaises restantes appuyées contre le mur. Elles étaient recouvertes d'un tissu qui sentait un peu le renfermé mais elles avaient au moins le mérite d'exister. Nous remerciâmes Nita pour son délicieux ragoût – que nous avions l'intention de finir pour le dîner. Malheureusement, nous n'avions que de l'eau minérale et des cookies aux pépites de chocolat à leur proposer.

— Non, non, merci infiniment ! Nous n'avons besoin de rien ! s'exclama Nita après avoir consulté son époux d'un coup d'œil. Vous savez, nous nous sommes toujours inquiétés pour ce sapin juste derrière le chalet.

— Pourquoi ? demandai-je.

— Les racines de pin restent en surface et l'arbre est trop près de la structure, répondit Ted. J'en ai touché deux mots à Parker l'été dernier mais il a ri aux éclats. J'espère qu'il ne regrettera pas d'avoir ignoré mes conseils.

Je compris alors à quel genre de personnes nous avions affaire.

— Nous vivons ici tout au long de l'année, comprenez-vous. Ce n'est pas comme tous ces gens qui ne viennent qu'à la belle saison quand tout va bien, enchaîna Nita.

Comme s'ils étaient les pauvres bougres condamnés à tenir le coup sur place quand tout allait mal. Les amis qui se sacrifient pour les autres.

— Pourvu que le sapin ne cède pas sous le poids de la glace, murmura Tolliver. Merci de nous avoir mis en garde.

Il avait dû prononcer ces paroles d'un ton un peu sec car Ted se raidit.

— Nous avons de la chance que vous soyez là, ajoutai-je, anxieuse de lisser les plumes de Ted. Je crois que je serais terrifiée si nous étions tout seuls.

Cet aveu réjouit Ted et Nita.

— Nous sommes juste à côté. Surtout, n'hésitez pas à nous appeler en cas de besoin. Nous sommes équipés.

— C'est bon à savoir.

Enfin, Dieu soit loué, ils se levèrent. Nous nous répétâmes en boucle à quel point nous étions enchantés d'être voisins jusqu'à ce qu'ils atteignent le bas de l'escalier et se dirigent vers leur chalet.

150

Nous avions pris notre radio dans le coffre. Nous la branchâmes. Les prévisions météorologiques étaient toujours aussi catastrophiques. Toutes les informations tournaient autour de la tempête à venir. Je me rendis compte qu'au fond de moi j'avais vaguement espéré une arrestation, la neutralisation d'un suspect ; ou que l'assassin se soit rendu aux autorités, incapable de supporter plus longtemps le poids de ses crimes. Je confiai ma déception à Tolliver.

— Un type qui répète aussi souvent de tels actes, sur des ados qu'il connaît, ne se dénonce que s'il est avide d'attention. Il doit être furieux de ne pas pouvoir recommencer dans un avenir proche. À cause de toi.

Je fixai Tolliver. Voilà donc ce qui le tracassait !

— Je doute qu'il s'en reprenne à moi, répliquai-je en m'efforçant de garder mon calme. Il est venu au motel dans un élan de rage. Mais d'après moi, pour l'heure, il cherche surtout à sauver sa peau et maintenir ses distances. Il ne fera rien qui risque d'attirer l'attention de la police. Il va faire profil bas.

Tolliver eut l'amabilité de réfléchir à mon raisonnement mais il n'était pas convaincu. Il alla se planter devant la fenêtre et scruta l'obscurité.

— Tu entends ?

Je me plaçai à côté de lui. La lumière de la pièce et l'éclairage de sécurité que les Hamilton avaient fixé en haut d'un poteau faisaient scintiller les minuscules gouttes balayées par le vent. Un spectacle à la fois joli et inquiétant. Jamais de ma vie je ne m'étais sentie aussi isolée.

L'averse de pluie glacée se poursuivait encore lorsque nous nous mîmes au lit. J'étais fatiguée mais moins endolorie que je ne l'avais craint. Je n'avais plus mal à la tête et mon bras me faisait moins souffrir. Je réussis à me déshabiller et à enfiler mon pyjama sans

151

l'aide de Tolliver – sinon que je dus l'appeler au secours pour dégrafer mon soutien-gorge. Nous lûmes un moment : autant profiter de l'électricité tant qu'il y en avait. Il était plongé dans un ouvrage de Harlan Cohen et moi, dans *La peur qui vous sauve*, de Gavin de Becker. Pour finir, les paupières lourdes, je posai mon bouquin. Peu après, j'entendis Tolliver éteindre la lampe. La pièce n'était plus éclairée que par un mince rayon de lumière diffuse en provenance du projecteur de sécurité. La veille, j'avais été trop épuisée pour le remarquer et je n'y prêtai guère attention... jusqu'à ce que je me réveille un peu plus tard dans le noir absolu. La bise hurlait et je perçus un bruit étrange au-dehors.

— Qu'est-ce que c'est ?

— Les branches gelées qui se frottent les unes contre les autres. Je suis réveillé depuis plusieurs minutes et j'ai fini par décider que c'était ça.

Je me méfie de Dame Nature.

— D'accord, marmonnai-je, mais j'étais au comble de l'agitation.

— Viens ici, je suis plus près du feu, suggéra Tolliver. Prends tes couvertures.

Je ne me fis pas prier. Pieds nus sur le plancher, j'arrachai la couette de mon lit et la jetai maladroitement sur celui de Tolliver. Puis je me glissai entre les draps, tremblante de froid et de peur.

— Allons, allons, me consola-t-il en me serrant contre lui. Tu ne t'es découverte que deux ou trois secondes.

— Je sais. Je suis une poule mouillée. Une mauviette.

— Tu es la personne la plus courageuse que je connaisse.

Je posai ma joue sur sa poitrine.

152

— Tu m'écoutes ?

Je m'écartai légèrement.

— Oui.

— Je ne suis pas ton frère, reprit-il d'un tout autre ton.

L'espace d'un éclair, j'eus la sensation que la Terre avait cessé de tourner.

— Je sais.

Il m'embrassa.

Je l'aimais depuis si longtemps. Au risque de tout gâcher, je m'abandonnai à son étreinte.

Ce fut un baiser long et ardent. Combien de fois avais-je vu Tolliver émerger d'une chambre en compagnie d'une femme ? Aujourd'hui, il était avec moi.

Il voulut parler mais je l'en empêchai :

— Ne dis rien.

Cette fois, ce fut moi qui pris l'initiative. Apparemment, si c'est la question qu'il s'apprêtait à me poser, mon geste y répondit.

— C'est toi, chuchotai-je en glissant ma main valide sous son tee-shirt, savourant la douceur de sa peau.

Je frottai mon visage sur les poils de son torse et il retint son souffle. Puis il me caressa les seins et poussa une sorte de grognement. Je crus que j'allais sangloter de bonheur.

— Attends, je vais t'aider à enlever ton haut... Ton bras ?

— Ne t'inquiète pas. Simplement, ne t'allonge pas dessus et ça devrait aller.

Plus rien n'avait d'importance. Mon corps et mon cœur étaient complètement engagés pour la toute première fois. Nous nous connaissions si bien que cette nouvelle activité semblait couler de source. Nous connaissions nos corps de loin mais n'en avions jamais exploré les textures, les détails. Nous nous lançâmes dans le plaisir de ces découvertes. Son sexe était long, pas le plus gros que j'aie jamais vu mais il était légèrement incurvé. Il avait été circoncis. Son gland était très sensible. J'aimais le toucher là où je n'avais jamais été autorisée à le faire avant, et il aimait être libre de pouvoir me toucher entre les cuisses. Il adorait ça. Les caresses de Tolliver étaient exquises, ses mains habiles.

— J'aimerais te voir, m'avoua-t-il.

Pour ma part, l'obscurité me convenait parfaitement, me rendait plus téméraire et me permettait de me concentrer sur mon sens du toucher. Si j'avais eu le temps de réfléchir, j'aurais tout gâché.

Maintenant que nous étions débarrassés de nos vêtements, que nous étions sûrs l'un comme l'autre de ne pas vouloir nous dérober, je me lâchai.

— Je t'aime, Tolliver.

— Pour toujours.

# Chapitre 9

— Tu n'as pas de mouchoirs en papier ? murmurai-je.

J'avais la tête posée sur sa poitrine. Nos vêtements étaient éparpillés autour de nous sous les couvertures.

— Prends mon tee-shirt.

Je ravalai un gloussement, tâtai à droite et à gauche, finis par tomber sur le tee-shirt en question.

— J'espère que tu ne plaisantais pas parce que j'ai l'intention de m'en servir.

— Je t'en prie.

Il m'embrassa sur le front.

Je me séchai avant de lui tapoter le bas-ventre.

— Attention ! C'est la partie de mon corps que je préfère.

— Moi aussi.

Il rit. J'étais aux anges.

— J'ai cru que nous n'y arriverions jamais, confia-t-il, tout à coup très sérieux.

— Moi non plus. Je me sentais condamnée à te voir partir au bras de jolies serveuses.

— Et toi, de ce flic, à Sarne. Celui-là m'a franchement inquiété. Sans parler de Manfred.

— Vraiment ?

— Oh, oui ! Déjà, j'ai du mal à supporter les piercings et les tatouages, mais quand je le vois te couver des yeux ! Et sa grand-mère ne va pas vivre longtemps. Je craignais que tu ne l'embauches comme manager à ma place après le décès de Xylda, m'obligeant à trouver un emploi loin de toi.

— Il me semble t'avoir fait part de mes sentiments à ton égard.

— Tu peux recommencer.

— Pas question. Toi d'abord.

— Je t'aime. Pas comme une sœur. Je t'aime comme un homme épris d'une femme. Je veux faire l'amour avec toi encore et encore.

— Pourquoi ? demandai-je stupidement.

— Parce que tu es belle et intelligente. Parce que tu te donnes toujours pleinement. Parce que tu es honnête. Parce que je rêve depuis des années de voir tes seins mais que l'obscurité m'en empêche.

— J'ai eu l'occasion d'apercevoir ton sexe un jour quand tu es sorti de la douche en ayant oublié de fermer la porte. C'était il y a un an.

— Et tu fantasmes depuis ce temps.

— En fait... oui. Pas la peine de prendre la grosse tête.

— Ce n'est pas ma tête qui enfle à cet instant.

— En effet.

Je léchai mon pouce et caressai son gland.

— Oh, mon Dieu.

Je recommençai. Un gémissement lui échappa.

— Ne t'arrête pas.

Je m'exécutai. Ensuite, il me fit quelque chose que j'appréciai énormément. Nous continuâmes ainsi jusqu'à être prêts à recommencer. Ce fut encore meilleur cette fois, nous atteignîmes l'orgasme en même temps, puis il s'endormit. Je ne tardai pas à en faire autant.

Je fus réveillée en sursaut par un bruit fracassant. En fait, cela m'effraya tant que je manquai me mettre à hurler.

156

— Un arbre est tombé, m'annonça Tolliver. Du calme, bébé, nous sommes vivants.

Nous nous habillâmes en toute hâte, Tolliver rejetant son tee-shirt sous prétexte qu'il était « humide » et devant chercher sa valise à tâtons.

À force de « oups ! » et de « où es-tu ? » je finis par retrouver la lampe de poche et nous nous approchâmes ensemble de la fenêtre. Comme l'avaient prédit les Hamilton, le sapin avait cédé sous la force de la tempête. Mystérieusement, il s'était couché de manière à bloquer leur allée. J'eus la désagréable sensation que leur véhicule était coincé en dessous.

— Leur toit est épargné ? demandai-je.

Impossible de le distinguer de là où nous étions.

— Je ferais mieux d'aller vérifier, dit Tolliver.

— Je t'accompagne.

— Certainement pas. Le sol est trop glissant. S'il y a un problème là-bas, je reviendrai te chercher, promit-il. Au fait, comment va ton bras ? Nous ne l'avons pas trop malmené ?

— Non, il ne va pas trop mal.

— OK. À tout de suite.

Je n'insistai pas : son raisonnement avait du sens. Je patientai donc dans le chalet glacial tandis que Tolliver s'aventurait à petits pas jusqu'à la propriété des Hamilton. J'attisai le feu, y ajoutai une bûche puis poussai une chaise jusqu'à la fenêtre et m'y installai, enveloppée d'une couverture.

Une partie de moi suivait le faisceau de la lampe électrique de Tolliver tandis que l'autre se retenait de crier : « Tu as couché avec Tolliver ! Tu viens de coucher avec Tolliver ! » dans un mélange d'horreur et d'enchantement. Avions-nous (littéralement) foutu en l'air notre relation ? Ou, au contraire, ouvert la porte à un avenir heureux ? Seul le temps nous le dirait.

Pourvu que tout aille bien entre nous. Je revins brusquement sur terre en constatant que Tolliver avait des difficultés à accéder à la porte des Hamilton à cause des branchages.

J'ouvris la fenêtre avec peine.

— Tu as besoin d'aide ?

J'eus l'impression que Tolliver se retenait de répondre « surtout pas ! ». Il se contenta d'un « non merci » posé. Le son de sa voix me parut différent, plus détendu. J'étais sur un petit nuage, comme une lycéenne après son premier baiser. Je m'obligeai à rester dans le présent.

J'aperçus Ted Hamilton sur le seuil de la maison. Il portait un chapeau, ce qui paraissait ridicule mais était plutôt malin vu la quantité de chaleur corporelle qui s'échappe par la tête. Lui et Tolliver échangèrent quelques mots puis Tolliver revint vers notre demeure provisoire.

Je lui ouvris et il se propulsa à l'intérieur.

— Dieu qu'il fait froid !

Il fonça vers la cheminée, y jeta quelques bouts de bois supplémentaires et se tint immobile un moment, les yeux fermés pour mieux s'imprégner de la chaleur.

— Ils vont bien ?

— Oui. Ils sont furieux. Ted a sorti quelques jurons qu'il devait refouler depuis la guerre de Corée. Je suis content de ne pas être de la famille McGraw-Cotton. Il va leur intenter un procès.

— Tu crois qu'il a une chance de gagner ?

Tolliver tendit la main devant lui, l'inclina d'un côté puis de l'autre.

— Ce serait grotesque mais tu sais comme moi comment fonctionne le système judiciaire.

Nous nous regardâmes en silence.

— Tu as des regrets ? murmura-t-il.

158

— Non. Et toi ?

— Ça couvait depuis trop longtemps. Tu me répétais sans arrêt que je devrais te quitter un jour. J'ignorais si c'était ce que tu souhaitais ou non. J'ai fini par décider de plonger.

— Je me disais que je t'aimais tant que je devais t'éloigner de moi avant que tu ne le découvres. J'avais peur que cela te dégoûte. Ou pire... que tu me prennes en pitié.

— En ce qui me concerne, tu es l'exemple même du courage. Tu as été frappée par la foudre et au lieu de geindre et de réclamer une pension d'invalidité, tu mets à profit un don inattendu. Tu te sers de ton esprit et de ton charisme pour créer ta propre entreprise.

— Mon charisme, raillai-je.

— N'as-tu jamais remarqué combien les hommes tombent sous ton charme ?

— Des adolescents.

— Pas uniquement.

— Tu es en train de dire que je les attire comme un aimant ? N'importe quoi !

— Tu n'es pas une blonde extravertie mais tu as un charme tout particulier auquel les hommes sont sensibles, crois-moi.

— Un seul d'entre eux m'intéresse.

Je le fixai intensément.

— Tu me coupes la respiration, avoua-t-il.

Je baissai les yeux et souris.

— Au moins, tu connais d'avance tous mes défauts.

— J'aime t'entendre crier quand tu jouis.

— J'aime te sentir en moi.

— Ah oui ? Hmmm...

— Et je me demandais si tu te sentais d'attaque pour...

— Oui ?

— Pour recommencer ?

— Je pense que tu pourrais me convaincre. En y mettant beaucoup d'effort.

— Veux-tu que je te prenne dans ma bouche ?

À la lueur des flammes, je vis ses pupilles se dilater.

— Oh... râla-t-il d'une voix rauque. Seigneur, Harper !

— Je n'ai jamais fait cela avec quelqu'un d'autre, tu sais.

— S'il te plaît. Je t'en supplie. Fais cela pour moi. Et pour personne d'autre.

Je m'agenouillai délicatement et baissai le pantalon de jogging qu'il avait enfilé avant son excursion chez les Hamilton.

Le fait de le déshabiller redoubla mon excitation. Je levai la tête vers lui pour m'assurer qu'il me regardait tenir ma promesse. Oh, oui ! Il était comme hypnotisé.

— Oh, mon Dieu !

Mon expérience limitée m'a appris que les hommes sont toujours contents de faire l'amour, peu importe la maladresse de leur partenaire. Ils ne sont pas là pour critiquer, ils sont là pour atteindre l'orgasme. À condition de jouer le jeu, de mettre leur pénis dans le bon trou et de pousser les gémissements appropriés, ils repartent satisfaits. Un peu comme lorsqu'on signe un contrat de base pour la télévision câblée. C'est ainsi que cela se passe quand on se connaît mal.

— Pour toi, mon amour, chuchotai-je.


Le lendemain matin à mon réveil, un soleil éclatant inondait la pièce. Je clignai des yeux, frissonnai, me renfonçai sous la couette et me blottis contre... Tolliver ! J'étais au lit avec Tolliver et nous étions nus. Je poussai un soupir de ravissement et l'embrassai dans le cou.

— Je suppose que je vais devoir cesser de t'appeler « petite sœur », marmonna-t-il d'une voix ensommeillée.

— Oui.

— Pauvre Manfred ! Pas de chance pour lui.

— Non.

— J'entends les tronçonneuses. Ils doivent être pratiquement sous la fenêtre en train de découper le sapin.

Comme par hasard, parmi la cinquantaine de chalets construits autour du lac, nous étions les seuls à avoir des voisins. Je frémissais d'avance à la perspective de m'extirper de la chaleur du lit pour aller dans la salle de bains. J'avais grand besoin de me laver. Il n'y avait pas de rideau à la fenêtre et ces imbéciles de Hamilton s'affairaient à libérer leur voiture des branches du sapin.

— J'espère que leur voiture est aplatie comme une crêpe.

— Tu plaisantes.

— Pas du tout. Enfin, si. Plus ou moins. Je n'ai aucune envie de me lever, voilà tout.

— Tu crois qu'ils vont venir se coller à la vitre ?

— D'une minute à l'autre.

Il chercha ma main et la serra avec ferveur.

— Moi non plus, je n'ai aucune envie de me lever, avoua-t-il en m'embrassant. Je suis lessivé.

— Mon pauvre chéri ! À cause de moi ?

— Je suis l'ombre de moi-même.

— C'est drôle, tu sembles assez bien portant, dis-je en lui caressant le ventre (plat et musclé).

— Femme, j'ai besoin d'un remontant si je veux pouvoir assouvir tes exigences insatiables.

— Insatiables ? Tu n'as encore rien vu.

Je redevins soudain grave.

— Je n'en reviens pas, Tolliver. J'ai si longtemps rêvé d'un moment pareil.

— Moi aussi. Mais mon métabolisme me crie de manger d'abord et de discuter ensuite.

Je l'embrassai.

— Entendu.

J'enfilai mon bas de pyjama et filai dans la salle d'eau. Un quart d'heure glacé plus tard, j'étais plus ou moins nette et habillée de plusieurs couches de vêtements propres. J'avais mis deux paires de chaussettes et les bottes en caoutchouc que Tolliver avait achetées au supermarché la veille. Pendant qu'il faisait sa toilette à son tour, j'explorai les étagères au-dessus du fourneau en quête d'une casserole. Je la remplis d'eau et la plaçai sur le feu. Lorsque j'estimai qu'elle était à peu près chaude, je la versai dans deux tasses avec du chocolat en poudre. Nous avions des barres de céréales. Le sucre restaurerait notre énergie.

Tolliver sourit en voyant la vapeur s'élever des mugs.

— Épatant ! Tu es ma Wonder Woman.

Nous nous installâmes devant l'âtre pour prendre notre petit déjeuner en écoutant la radio. Les routes étaient impraticables. On prévoyait une hausse des températures pour le milieu de l'après-midi mais il était déconseillé de rouler avant le lendemain matin. Des équipes réparaient les câbles électriques et se rendaient dans les propriétés isolées. Les citoyens étaient vivement encouragés à prendre des nouvelles de leurs voisins âgés.

— Les Hamilton vont bien, dis-je.

— Tu as essayé le portable ?

Je le mis en marche et constatai que j'avais plusieurs messages dont le premier, de Manfred.

— *Salut, Harper ! Ma grand-mère est tombée très malade hier soir. Elle est à l'hôpital de Doraville.*

Le second était de Twyla qui espérait que nous étions bien au chaud dans son chalet.

Le troisième était de Manfred.

— *Ce serait génial si toi et Tolliver pouviez passer. J'aimerais vous parler de grand-mère.*

162

Sous-entendu : faut-il débrancher les fils ?

— Très inquiétant, marmonnai-je. J'ai peur que ce soit la fin pour elle.

— Crois-tu que nous puissions arriver jusqu'en ville ? Je ne suis pas certain d'atteindre le bout de l'allée.

— Tu n'as pas remarqué que j'avais garé la voiture au bord de la route avant la tempête ?

— Au risque qu'un conducteur maladroit la défonce ?

Apparemment, notre bonheur tout neuf n'empêchait pas les brouilles occasionnelles.

— Tu as eu raison, convint Tolliver. Nous tenterons le coup vers midi, quand ce qui peut fondre aura fondu.

Nous n'abordâmes plus le sujet brûlant de notre nouvelle relation et au fond, c'était tant mieux. Tolliver finit par s'impatienter, ce qui ne m'étonna guère. Il s'emmitoufla pour aller donner un coup de main à Ted Hamilton pendant une heure ou deux. Lorsqu'il revint, je l'entendis taper des pieds devant la porte. Je lisais près du feu et je commençais à avoir envie de bouger, moi aussi. Je levai les yeux vers lui. Il s'approcha et me gratifia d'un baiser nonchalant sur la joue, comme si nous étions mariés depuis des années.

— Ton visage est glacé.

— Il est congelé, rectifia Tolliver. Tu as appelé Manfred ? Nous avons vu une voiture passer sans problème sur la route.

— Je le contacte tout de suite.

Je dus lui laisser un message.

— S'il est à l'hôpital, il a dû éteindre son téléphone.

Je faillis relancer notre conversation du début de la matinée mais eus la sagesse de me taire. Après tout, Tolliver ne savait pas plus que moi où tout cela nous mènerait.

Je m'efforçai de me décontracter. Nous aviserions au jour le jour. Rien ne nous obligeait à crier la nouvelle sur les toits. Une pensée affreuse me traversa subitement l'esprit.

— Euh... qu'allons-nous raconter à nos petites sœurs ?

À voir l'expression de Tolliver, je compris qu'il n'y avait pas songé.

— Eh bien... Oui, tu as raison. Mariella et Gracie... oh, mon Dieu ! Tante Iona !

Notre tante Iona – en fait, la mienne – a obtenu la garde de nos deux demi-sœurs qui sont beaucoup plus jeunes que nous. Iona et son mari les élèvent dans un univers à l'opposé de celui de nos parents. Ils n'ont pas tort. Mieux vaut grandir parmi des chrétiens fondamentalistes que dans un milieu pourri. Mariella et Gracie sont bien habillées, bien nourries. Elles ont un foyer stable et des règles à respecter. C'est admirable et si elles se rebellent de temps en temps, tant pis. Nous nous efforçons de renouer avec elles mais le parcours est chaotique.

Je n'osais imaginer la réaction de tante Iona à notre histoire.

— Nous verrons en temps et en heure, décidai-je.

— Pas question de cacher quoi que ce soit, décréta Tolliver d'un ton ferme.

Cette réaction me réconforta. J'étais sûre de mes sentiments mais il est toujours plus agréable de savoir que son partenaire éprouve les mêmes. Je poussai un soupir de soulagement.

— Pas de cachotteries, renchéris-je.

Pour le déjeuner, nous mangeâmes des sandwiches au beurre de cacahuètes.

— Je parie que la femme de Ted lui a préparé un repas diététique au feu de bois, commentai-je.

— Nous mangeons sainement la plupart du temps.

Depuis notre arrivée à Doraville, mes habitudes alimentaires laissaient à désirer. Il faudrait que j'y remédie rapidement. Une alimentation équilibrée m'aide à minimiser mes divers ennuis de santé.

— Comment va ta jambe ? s'enquit Tolliver, qui avait suivi le fil de mes réflexions.

— Pas trop mal. En revanche, je sens que je n'ai pas couru depuis plusieurs jours.

— Quand pourras-tu te passer de l'attelle ?

— Le médecin a dit cinq semaines. Nous tâcherons de nous trouver à St. Louis à ce moment-là afin que je puisse consulter le nôtre.

— Épatant.

À son sourire, je compris qu'il imaginait d'avance tout ce que nous pourrions faire quand je serais totalement rétablie.

— Viens ici, murmura-t-il tout à coup.

Il était assis par terre devant l'âtre, adossé contre une chaise. Il tapota le sol entre ses jambes et je m'y installai aussitôt.

— Je n'en reviens pas d'avoir le droit de te serrer dans mes bras, avoua-t-il.

Si mon cœur avait pu se manifester, il l'aurait fait.

— J'ai le droit de te toucher autant que je le veux. Je n'ai plus à y réfléchir à deux fois.

— Tu y réfléchissais à deux fois ?

— J'avais peur de t'effaroucher.

— Moi aussi.

— Nous sommes deux idiots.

— Oui, mais désormais, tout va bien.

Nous restâmes ainsi jusqu'à ce que Tolliver m'annonce qu'il avait des fourmis dans les jambes. Nous décidâmes que si nous voulions nous rendre à Doraville, c'était le moment ou jamais.

# Chapitre 10

À plusieurs reprises au cours du trajet, je m'en voulus presque d'avoir rallumé mon portable et entendu les messages de Manfred. Jamais de ma vie je n'avais eu aussi peur en voiture. Tolliver s'en sortait plutôt bien mais il proféra tous les jurons de son vocabulaire, dont certains m'étaient inconnus. Nous croisâmes une seule voiture, remplie de jeunes garçons montrant une pulsion suicidaire innée. Dès que cette pensée me traversa l'esprit, je pensai aux pauvres adolescents enterrés sous la terre gelée et éprouvai un accès de remords.

Le parking de l'hôpital était presque désert. La neige recouvrait les jardins autour du petit édifice. Lorsque nous pénétrâmes dans le hall, l'hôtesse d'accueil n'était pas à son poste. Nous nous aventurâmes jusqu'au bureau des infirmières et demandâmes à voir Xylda Bernardo.

— La voyante, répondit l'une d'entre elles, vaguement impressionnée. Elle est en réanimation. Son petit-fils est dans la salle d'attente.

Elle nous indiqua le chemin et nous découvrîmes Manfred, la tête entre les mains, dans un de ces coins où s'alignent quelques sièges inconfortables face à une table basse jonchée de gobelets usés et de vieux magazines. Apparemment, l'équipe de nettoyage n'avait pas réussi à venir. Mauvais signe.

— Manfred ! Que s'est-il passé ?

Il se redressa légèrement et je vis qu'il avait les yeux rouges, bouffis. Sa figure était striée de larmes.

— Je ne comprends pas. Elle allait mieux. Elle a eu un malaise hier soir mais ce matin, elle était mieux. Le médecin était passé la voir. Le pasteur est venu prier avec nous. Ils devaient l'installer dans une chambre normale. Et puis d'un seul coup – je l'avais laissée deux minutes pour aller me chercher un café et passer un coup de fil – à mon retour, elle était dans le coma.

— Je suis désolée.

Que dire d'autre ?

— Qu'en pense le médecin ? s'enquit Tolliver.

Je m'assis auprès de Manfred et posai la main sur son épaule. Tolliver prit place à angle droit et se pencha vers nous, les coudes en appui sur ses genoux. Je le dévisageai. Il était si sérieux, si attentif ! L'amour me submergea. Je dus faire un effort pour me concentrer sur le malheur de Manfred et de Xylda.

— C'est celui qui t'a soignée, Harper, dit Manfred. Le type aux cheveux blancs. Il me paraît capable. D'après lui, elle ne va pas se réveiller. Il ne s'explique pas ce revirement de situation mais il n'est pas vraiment surpris. Tout est tellement… flou. Personne ne peut me rassurer. Je croyais que la médecine avait fait des progrès.

— As-tu appelé tes proches ?

— Ma mère est en route. Mais vu les conditions de circulation entre le Tennessee et ici, je crains qu'elle n'arrive trop tard.

J'étais anéantie.

— Ta mère compte sur toi pour prendre les décisions ?

— Oui. Elle me fait confiance.

Génial de la part d'une mère mais quelle responsabilité !

— J'espérais, murmura Manfred après un long silence, qu'en la voyant tu pourrais me conseiller.

Il me regarda fixement et je compris où il voulait en venir. Il voulait savoir si son âme était toujours là.

D'accord. Je grimaçai intérieurement mais opinai.

Il me conduisit jusqu'à l'entrée de la salle de réanimation, forcément petite dans un établissement de cette taille. Xylda aurait sans doute eu davantage de chances dans un hôpital plus vaste et mieux équipé mais comment l'y transporter ? Une fois de plus, la nature avait pris le pas sur la technologie. Sidérée, je comptai les appareils auxquels Xylda était branchée. Ils enregistraient toutes sortes de données physiques. Pourtant, Manfred voulait savoir si son âme était encore rattachée à son corps et me sollicitait à cette fin.

Je tins la main molle de Xylda un moment bien que ce ne fût pas nécessaire. Son âme était bel et bien là. J'en fus presque triste. Dans le cas contraire, la tâche eût été nettement plus facile pour la famille.

Barney Simpson passa la tête dans la pièce et m'observa d'un air curieux.

— Je croyais qu'on vous avait libérés, murmura-t-il.

— Vous avez l'habitude de rendre visite aux patients en réanimation ?

— Non, aux proches de certains de ces patients. J'ai vu quelqu'un entrer, alors j'ai voulu voir qui c'était.

— Je prends le relais de son petit-fils quelques instants.

— Vous êtes une bonne amie. C'est l'autre dame, n'est-ce pas ?

— Xylda Bernardo. La médium. Oui.

— Elle a révélé aux autorités les agissements de Chuck Almand.

J'acquiesçai après une seconde d'hésitation. C'était plus ou moins vrai.

— Oui.

— Quel talent extraordinaire !

Il tenta en vain de dompter sa chevelure hirsute.

— Elle est différente.

Je me dirigeai vers la sortie. Je voulais parler à Manfred. Simpson s'écarta pour me laisser passer. Une infirmière entra.

— Encore vous ! s'exclama-t-elle à l'intention de Simpson. Impossible de se débarrasser de vous aujourd'hui.

— En effet, ma voiture est coincée, répondit-il avec un sourire.

— Vous êtes donc là contre votre gré.

— Je serais enchanté de pouvoir rentrer chez moi. Moi aussi.

Le temps que je rejoigne Manfred, Barney Simpson poursuivait sa ronde de visites.

— Elle est toujours là.

Manfred ferma les yeux. De désarroi ou de gratitude ? Je l'ignorais.

— Dans ce cas, je vais m'asseoir auprès d'elle jusqu'à ce qu'elle s'en aille.

— Que pouvons-nous faire pour vous ? demanda Tolliver.

Manfred le dévisagea avec une expression qui me fendit le cœur.

— Rien. C'est de vous qu'elle a besoin, je le vois bien. Cependant vous avoir comme amis m'est d'un grand réconfort et je vous suis reconnaissant d'avoir fait l'effort de venir. Où logez-vous ?

Nous lui parlâmes du chalet. Il sourit en apprenant l'incident du sapin.

— Quand partez-vous ? Je suppose que les flics vous ont donné le feu vert ?

169

— Sans doute demain, répliquai-je. Mais nous ferons un saut ici avant. Tu es sûr que tu n'as besoin de rien ?

— L'électricité fonctionne ici, c'est plutôt à vous que je devrais poser la question. Vous devriez profiter de la cafétéria pour manger un plat chaud. Elle est ouverte.

La cantine de l'hôpital ne m'attirait guère mais la perspective d'un « plat chaud » excita mon appétit. Nous persuadâmes Manfred de nous y accompagner. Nous nous régalâmes de steaks hachés et de haricots verts arrosés d'une sauce au poivre. Je me promis de doubler mes séances de course à pied la semaine suivante.

À la dernière minute, je faillis revenir sur mes pas pour rester auprès de Manfred. Il paraissait si seul. Mais il m'en dissuada :

— J'apprécie ton offre, Harper, mais c'est inutile. Ma mère devrait être là demain matin si les routes sont dégagées. Je quitterai le chevet de grand-mère de temps en temps pour interroger ma boîte vocale.

Je l'étreignis avec fougue et Tolliver lui serra la main.

— Appelez-nous.

Manfred hocha la tête.

— Je ne pense pas qu'elle passera la nuit. Elle est à bout de forces. Elle aura eu au moins un petit moment d'ensoleillement hier. Elle m'a dit que ce garçon avait bien tué tous ces animaux mais qu'il y avait autre chose.

— À savoir ?

Je pivotai vers lui, intriguée. Il haussa les épaules.

— Elle ne me l'a pas précisé. Elle m'a déclaré que la propriété tout entière était cernée par un marécage maléfique.

— Hmmm...

Un « marécage maléfique ». Angoissant. Qu'est-ce que cela pouvait signifier ? Voilà ce qui m'énerve chez les médiums.

— Elle a employé un autre mot.

— Que quoi ?

— Marécage. Elle a dit un... un miasme ?

Manfred n'est pas stupide mais il lit très peu.

— Possible. Une atmosphère lourde, désagréable. N'est-ce pas, Tolliver ?

— Absolument.

Avais-je négligé un cadavre ? Avais-je commis une erreur ? J'étais tellement choquée que je sentis à peine le froid mordant lorsque nous nous précipitâmes jusqu'à notre voiture.

— Tolliver, nous devons retourner à cette propriété.

Il me contempla comme si j'avais perdu la tête.

— Par ce temps ?

— Je sais que le climat s'y prête mal mais Xylda...

— Elle racontait des bêtises la moitié du temps, trancha-t-il.

— Pas cette fois... Tu te rappelles, à Memphis, quand elle m'a prédit que je serais « très heureuse à l'ère de la glace ? »

— Je m'en souviens. Nous sommes en pleine ère de la glace et j'étais heureux jusqu'à maintenant.

Il était malheureux. Inquiet.

— Mon projet était de rentrer au chalet, d'attiser le feu et de faire l'amour.

Je ne pus m'empêcher de sourire.

— On pourrait au moins interroger le propriétaire, suggérai-je.

— Lui demander si on peut inspecter à nouveau ses terres ? S'il n'a pas par hasard enterré quelques corps supplémentaires en notre absence ? Parce que des émanations maléfiques recouvrent son domaine ?

— D'accord, d'accord, c'est ridicule. Mais nous devons agir.

Tolliver avait démarré le moteur dès que nous étions montés à bord et le chauffage commençait enfin à marcher. Je me penchai pour diriger la soufflerie sur mon visage.

— On va passer devant, jeter un coup d'œil, concéda-t-il sans enthousiasme.

— Ensuite, nous irons au chalet.

— Excellent.

Nous reprîmes la route de la veille, dérapant dans les rues presque désertes jusqu'à la propriété de Tom Almand. La zone où les véhicules de la police et des médias avaient stationné était complètement défoncée. Tolliver se gara de manière à ce qu'on ne puisse apercevoir notre voiture depuis la maison. Je descendis et m'approchai prudemment de la grange. Qu'avais-je raté ?

À l'intérieur, l'air était glacé, immobile et rance. Plusieurs trous parsemaient le sol en terre battue. C'était là que l'on avait exhumé les animaux sacrifiés. Je pensai à Chuck puis m'empressai de chasser son regard triste de mon esprit pour me concentrer sur les vibrations que seuls les morts humains émettent.

Quand je rouvris les yeux, Chuck Almand était devant moi.

— Doux Jésus ! Tu m'as fait une de ces peurs ! m'exclamai-je en portant ma main gantée à ma gorge.

Il était chaudement habillé en bottes, parka, bonnet, mitaines et écharpe.

— Que faites-vous ici ? Vous pensez avoir raté quelque chose ?

Inutile de tourner autour du pot.

— Oui.

— Vous croyez qu'il y a des cadavres ici ?

— J'ai voulu vérifier.

— Il n'y en a pas. Ils étaient tous chez les Davey.

172

— Tu n'as pas entendu parler d'autres disparitions ?

Une lueur vacilla dans ses prunelles. Dieu merci, la porte s'ouvrit et Tolliver apparut.

— Salut, Chuck ! Alors, tu as fini, ma chérie ?

— Je crois que oui. Résultat négatif, comme on s'y attendait.

Le regard luisant de Chuck Almand était rivé sur moi.

— N'ayez pas peur de moi, dit-il.

— Je n'ai pas peur, rétorquai-je en m'efforçant de sourire.

Je ne mentais pas. Je n'avais pas peur mais je me sentais mal à l'aise en sa présence. Puis j'entendis une voix à l'extérieur.

— Chuck ! Hou-hou ! Tu es dans la grange ? Avec qui ?

À ma stupéfaction, le visage de Chuck se métamorphosa en un clin d'œil et il me gratifia d'un coup de poing magistral dans l'estomac. Je m'écroulai.

— Allez-vous en d'ici ! hurla-t-il. Fichez le camp ! Vous êtes sur une propriété privée !

Tom Almand déboula, la porte grinçant derrière lui.

— Fils ! Fils ! Seigneur, Chuck, qu'as-tu fait ?

Tolliver m'aidait à me relever.

— Espèce de salaud, gronda-t-il à l'intention de Chuck. Je t'interdis de la toucher ! Elle ne t'a rien fait.

Je demeurai muette, me contentant de le contempler, mon bras valide posé sur le ventre au cas où il me frapperait de nouveau.

Il ne se passa rien de spécial sinon un interminable échange verbal. Tom Almand se confondit en excuses. Tolliver annonça clairement qu'il ne laisserait personne m'agresser, surtout pas le gosse. Tom nous signala que nous étions en tort. Tolliver riposta que la police nous avait accueillis avec bonheur ici même, la veille. Tom nous informa que nous n'étions plus la veille et que nous devions débarrasser le plancher.

— Avec plaisir ! glapit Tolliver. Et vous avez de la chance que nous n'appelions pas les flics pour dénoncer les violences de votre fils sur la personne de Harper.

Je m'appuyai contre lui jusqu'à la voiture. Il était dans tous ses états. Il avait du mal à se retenir de me lancer : « Je te l'avais bien dit. » Dieu le bénisse, il parvint à se maîtriser.

— Tolliver, murmurai-je une fois qu'il eut démarré.

Il s'arrêta en pleine diatribe.

— Quoi ?

— Juste après m'avoir cognée et juste avant de se mettre à me crier dessus, Chuck a dit : « Pardon, venez me trouver plus tard. »

— Première nouvelle.

— Il a parlé tout bas. Pour que son père ne l'entende pas.

— Il a dit : « Venez me trouver plus tard » ?

— Oui.

— Il est schizophrène ? Ou il essaie d'en persuader son père ?

— Je pense qu'il cherche à lui transmettre un message mais lequel ?

Nous nous réfugiâmes dans le silence jusqu'à notre arrivée. Je ne sais pas à quoi réfléchissait Tolliver mais de mon côté, j'essayais vainement de comprendre ce qui venait de se passer.

En nous garant, nous constatâmes que tout était tranquille chez les Hamilton. Une colonne de fumée s'échappait de la cheminée. Peut-être faisaient-ils la sieste. Bonne idée.

— Je ne suis pas fière de moi : j'ai l'impression de raisonner comme une septuagénaire, grommelai-je tandis que nous descendions l'allée.

174

— Je parie qu'on saura s'occuper autrement que les Hamilton, murmura Tolliver d'un ton si familier qu'une sensation de chaleur envahit tout mon être.

— Les Hamilton me paraissent très en forme pour leur âge.

Nous prîmes à peine le temps de verrouiller la porte derrière nous et de jeter quelques bûches sur le feu. Je ne sais pas comment les Hamilton ont passé leur après-midi mais le nôtre fut un enchantement. D'autant que nous terminâmes par un bon somme.

Ce soir-là, nous bûmes encore du chocolat chaud et mangeâmes encore des sandwiches au beurre de cacahuètes. Des pommes, aussi. J'aime à croire que nous aurions discuté tout autant s'il y avait eu de la lumière mais je me trompe peut-être. L'éclairage à la bougie encourage l'intimité et chacune de nos étreintes renforçait ma certitude quant à l'avenir de notre relation. Nous n'aurions jamais franchi le pas si nous n'avions pas été en quête d'une union durable.

— La serveuse de Sarne, dis-je en étrécissant les yeux. Celle-là, je l'ai franchement détestée et pendant deux semaines, je me suis demandé pourquoi.

— J'espérais que tu nous surprendrais, que tu la jetterais dehors et me clamerais ton amour. J'étais en mal de sexe. Et c'est elle qui m'a sauté dessus.

— J'ai failli, avouai-je. Mais je n'osais pas prendre le risque. Tu aurais pu m'envoyer balader. Que t'aurais-je répondu ? « Laisse-la tomber, je t'aime ! » ? Tu aurais pu crier au scandale !

— Et réciproquement. Tu répétais sans cesse que tu ne pouvais pas vivre avec quelqu'un qui voulait coucher avec toi, que tu avais besoin de garder la tête sur les épaules pour accomplir ton travail, que tu ne voulais pas t'encombrer l'esprit inutilement. D'ailleurs, tu as eu nettement moins de partenaires que moi.

— Je suis une femme. Je ne cède pas au moindre claquement de doigts. Il me faut davantage.

— Toutes les femmes ne sont pas comme toi.

— Beaucoup le sont.

— Tu m'en veux de toutes ces conquêtes de fortune ?

— Non, du moment qu'elles ne t'ont pas refilé une saloperie. Or je sais que je n'ai rien à craindre de ce côté-là.

Il se protégeait systématiquement.

— Désormais, nous sommes ensemble.

C'était une question.

— Oui, confirmai-je. Nous sommes ensemble.

— Tu ne t'en iras pas avec un autre homme.

— Non. Et toi ?

— Non. Tu es mon seul et unique amour.

— Tant mieux.

C'est ainsi qu'en un clin d'œil nous devînmes un couple.

Bizarre, de se préparer pour la nuit puis de se glisser dans le lit de Tolliver.

— Nous ne sommes pas obligés, me rassura-t-il. Mais j'ai très envie de dormir avec toi. J'ai bien dit : dormir.

C'était réciproque et le sommeil me gagna plus vite que de coutume car je me laissai bercer par sa respiration.

Je me réveillai plusieurs fois au cours de la nuit mais jamais longtemps. Lors d'une de ces brèves insomnies, je vis mon téléphone portable vibrer sur la table de chevet. Je m'en emparai.

— Allô ?

— Harper ?

— Elle est morte, Harper.

— Je suis désolée, Manfred.

— Peut-être que quelqu'un l'a tuée. Je n'étais pas dans la chambre.

— Manfred ! Attention à ce que tu dis ! On pourrait t'entendre. Où es-tu ?

— Devant l'hôpital.

— Qu'est-ce qui te fait imaginer une chose pareille ?

— Son état s'améliorait. L'infirmière m'a dit que grand-mère s'apprêtait à parler. Puis elle est morte.

— Tu veux qu'on te rejoigne ?

— Pas avant demain matin. Les routes sont trop dangereuses. D'ailleurs, tu ne peux rien faire. Reste au lit. Je te verrai dans la matinée. Ma mère devrait être là aussi.

— Manfred, retourne au motel et ferme la porte à clé. Surtout, n'ingurgite rien à l'hôpital, ni boisson ni nourriture, tu m'entends ? Et ne reste jamais seul avec quelqu'un.

— J'ai compris, répondit-il d'un ton lointain. Je monte dans ma voiture à l'instant même.

— Téléphone-moi dès ton arrivée.

Il me rappela dix minutes plus tard pour me rassurer. En chemin, il avait croisé plusieurs journalistes qui buvaient un dernier verre au bar. Il leur avait signalé qu'on l'avait suivi. Ils étaient donc aux aguets – si tant est qu'ils n'étaient pas trop imbibés – et s'étaient tous indignés qu'on puisse le pourchasser par une si triste nuit. Comme par hasard, ils étaient tous au courant du décès de Xylda. Peut-être avaient-ils soudoyé un membre du personnel hospitalier.

Tolliver dormait profondément et je me rappelai qu'il s'était beaucoup dépensé en aidant Ted Hamilton dans la matinée. Sans compter nos vigoureux exercices en chambre.

Il était plus de trois heures du matin quand je raccrochai. Je demeurai éveillée un moment et priai pour lui. Le sachant en sécurité et ne pouvant plus rien pour Xylda, je me rendormis.

# Chapitre 11

Au cours de la nuit, ou plutôt aux premières lueurs de l'aube (car cela ne nous réveilla pas) l'électricité revint. J'étais tranquillement allongée, en train de me demander pourquoi la lampe de l'autre côté de la pièce était allumée quand je me rendis compte que le miracle s'était produit. Pour des raisons évidentes, je me méfie de tout ce qui est électrique mais là, j'étais ravie. Je sortis un orteil de sous les couvertures. Il ne gela pas sur-le-champ. Excellent ! Quant à mon bras, il allait beaucoup mieux.

Je m'extirpai du lit et pénétrai dans la salle de bains. Je me lavai et changeai de vêtements. Seul problème : le soutien-gorge. Je décidai de m'en passer. De toute façon, ça ne se voyait pas puisque j'avais mis un débardeur et un sweat-shirt. Qui s'en douterait ?

La police, voilà qui. Je réfléchissais au moyen d'enfiler des chaussettes propres quand on frappa à la porte. Je me rendis compte que j'avais entendu un bruit de pas sans y prêter garde, tant j'étais absorbée par ma tâche.

Je me félicitai d'être debout, d'autant que j'avais présenté Tolliver comme mon frère au shérif. Or elle était là, devant moi, et seul l'un des lits était occupé. Certes, j'aurais pu m'être levée la première et avoir déjà fait le mien. Je n'avais aucune envie de devoir fournir des explications ni endurer l'expression horrifiée de mon interlocutrice.

Toutefois, Sandra Rockwell avait d'autres chats à fouetter que de s'interroger sur nos mœurs. Tolliver se redressa tandis qu'elle me bousculait pour passer et scrutait la pièce.

— Shérif ? Que se passe-t-il ? lui demandai-je.

Sandra jeta un coup d'œil sous les lits, dans la salle d'eau, puis ouvrit la trappe qui menait au débarras en dessous. Lorsqu'elle remonta, elle paraissait plus détendue, sinon de meilleure humeur.

— Auriez-vous au moins l'amabilité de nous renseigner sur le but de votre visite ? ironisai-je.

Tolliver ne se donna même pas la peine de tourner le dos pour enlever son bas de pyjama et revêtir son jean. Elle le lorgna comme pour enregister ce souvenir. Je l'aurais volontiers étranglée.

— Avez-vous vu Chuck Almand ?

J'étais sidérée.

— Pas depuis hier. Pourquoi ? Que lui est-il arrivé ?

— Pouvez-vous me décrire les circonstances exactes de votre rencontre ?

— Euh... bien sûr. Je voulais m'assurer que je n'avais rien négligé dans la grange. J'avais la sensation que quelque chose clochait. Nous y sommes donc retournés. Je savais que c'était stupide mais j'espérais m'y glisser sans être remarquée. Chuck est entré à ce moment-là. Il s'est emporté et m'a frappée.

— Il vous a frappée.

Elle n'était pas étonnée. Pas du tout. Le père avait dû lui raconter la scène.

— Oui. Un coup de poing dans l'estomac.

— Je suppose que cela vous a fâchée.

— Je n'étais pas enchantée.

— Je parie que votre frère ne l'était pas davantage.

— Je suis là ! intervint Tolliver. Non, en effet. Mais son père a surgi et le garçon semblait si furieux que nous sommes partis.

— Vous n'avez pas jugé utile de nous rapporter cet épisode ?

— Non. Nous avons pensé que vous aviez mieux à faire.

Elle savait pertinemment que nous n'avions pas appelé. Elle s'amusait à comptabiliser nos erreurs. J'avais le tournis. Quelle sotte ! Pourquoi avais-je insisté ? Si Chuck avait disparu, c'était sans doute à cause de moi.

— Si je comprends bien, personne ne sait où il se trouve ? s'enquit Tolliver. Depuis quand ?

— Apparemment, l'un des thérapeutes du centre est passé environ une heure après l'incident. Cet individu est un ami proche de Tom et il voulait avoir une conversation avec Chuck.

Rockwell grimaça. Elle n'était pas convaincue que cela aurait servi à grand-chose.

— Tom a appelé son fils, il est allé à sa recherche mais Chuck s'était volatilisé. L'ami a persuadé Tom d'avertir les autorités. Il l'a fait puis a entrepris de contacter les copains de Chuck. Aucun d'entre eux ne l'avait vu.

— Vous n'avez aucun témoin qui l'ait aperçu en ville ?

— Malheureusement, non. Mais nous nous sommes dit qu'il était à votre poursuite pour finir ce qu'il avait commencé. Ou vous présenter ses excuses. Qui sait comment peut réagir un gosse aussi déboussolé.

L'adjoint Rob Tidmarsh entra en tapant des pieds sur le paillasson.

— Rien à signaler, shérif.

Ainsi, elle avait pris sur elle de détourner notre attention pendant que son sbire explorait la propriété.

180

Bon ! Il n'y avait rien à trouver, donc pas de quoi s'énerver. Elle avait fait son devoir.

— Nous devrions peut-être appeler notre avocat, dis-je.

— Je m'en charge, répliqua Tolliver.

— À moins que vous n'ayez croisé Chuck et décidé de lui rendre la monnaie de sa pièce ? enchaîna Rockwell par-dessus nos voix.

La question s'adressait surtout à Tolliver, comme si j'avais l'habitude de l'envoyer tabasser les gens à ma place.

— Nous n'avons pas bougé d'ici de la nuit. Nous avons reçu un coup de fil à... À quelle heure Manfred a-t-il téléphoné, Harper ?

— Aux alentours de trois heures du matin.

— Un appel sur un portable ne prouve rien, rétorqua Rockwell. Manfred a-t-il parlé avec vous ? ajouta-t-elle, toujours à l'intention de Tolliver.

— À moi seulement, mais Tolliver était à mes côtés, répondis-je.

— Il ne pourra donc pas confirmer avoir discuté avec Tolliver.

— Il l'a peut-être entendu au loin.

Il devenait urgent de joindre notre avocat à Atlanta. Art Barfield s'était fait une petite fortune grâce à nous ces derniers temps et j'étais certaine qu'il ne rechignerait pas à gagner un peu plus d'argent.

— Je ne suis pas un ravisseur d'adolescents, décréta Tolliver. Mais il y en a un dans les parages. Pourquoi vous acharnez-vous sur moi au lieu de rechercher celui qui a tué tous les autres ? Ne serait-il pas plausible qu'il ait enlevé Chuck Almand ? Auquel cas, les jours de cet enfant sont comptés.

Tendue comme un arc, Rockwell devait grincer des dents.

— Nous le recherchons activement, figurez-vous ! Maintenant que l'assassin est privé de son terrain de prédilection, où a-t-il pu emmener Chuck ? Nous avons fouillé de fond en comble tous les hangars, toutes les cabanes du comté. Mais nous ne pouvons omettre aucune possibilité. Vous en faisiez partie.

Je n'étais pas d'accord avec elle mais il est vrai que nous avions eu un échange plutôt vif avec Chuck et son père. Cependant j'avais une précision importante à lui dévoiler.

— Il m'a demandé pardon.

— Quoi ?

— Chuck m'a demandé pardon. Il s'est excusé de m'avoir frappée. Il voulait qu'on retourne le voir plus tard.

— Pourquoi ? Ça ne rime à rien ! s'écria l'adjoint.

— Sur l'instant, j'ai simplement cru que... je l'avoue, j'ai cru qu'il était en proie à une sorte de crise de démence. Il avait l'air si bizarre quand il a prononcé ces mots.

— Et maintenant ?

— Je... je n'en sais rien.

— Ça ne nous avance guère.

— Je ne suis ni psychologue ni profileuse. Je retrouve les morts, point à la ligne.

*Je retrouve les morts, point à la ligne.* Chuck était au courant. Il m'avait suppliée de revenir.

— Dans ce cas, nous avons tout intérêt à vous remettre au boulot.

Un sentiment d'effroi m'avait brusquement submergée. Comment avais-je pu songer vingt-quatre heures auparavant que le monde serait meilleur sans Chuck Almand ? C'était avant de déceler une lueur secrète dans ses prunelles, après le coup de poing.

Tolliver voulut prendre la parole, se ravisa. Je me tournai vers lui. Ce n'était pas le moment de leur rappeler que j'exigeais une rémunération pour mes services. Il avait raison de se taire. Non, je ne lisais pas dans ses pensées. Nous nous connaissons par cœur, voilà tout.

— Où voulez-vous que je cherche ? murmurai-je.

Rockwell fut prise de court.

— Si le cadavre était récent, vous le sauriez tout de suite, n'est-ce pas ?

— Oui.

— Nous allons vous emmener un peu partout.

J'imaginai Manfred tout seul à nous guetter, soit à l'hôpital, soit dans sa chambre de motel. Je rêvais de prendre la route, de prendre mes jambes à mon cou. Mais la vie d'un jeune adolescent pesait dans la balance. Comment refuser ?

— Vous acceptez, n'est-ce pas ? devina Rockwell. Nous repasserons ici plus tard prendre M. Lang.

— Certainement pas, ripostai-je. Je n'irai nulle part sans lui.

Il aurait peut-être mieux valu que nous nous séparions, que Tolliver aille soutenir Manfred. Mais… non. Je préférais que nous restions ensemble. Tant pis si j'agissais en égoïste.

Tolliver disparut dans la salle de bains pendant que je proposais au shérif de se rendre utile en m'aidant à mettre mes chaussures. Tidmarsh ravala un ricanement. Rockwell joua le jeu et noua les lacets de mes bottes de randonnée en un tournemain. Je me munis de mes cachets pour la journée et ramassai quelques affaires qui traînaient, histoire de m'occuper. Je m'efforçai de couvrir le feu pour pouvoir le raviver plus tard. Nous n'étions pas à l'abri de nouvelles coupures d'électricité. La cheminée était essentielle :

j'avais le désagréable pressentiment que nous allions passer encore une nuit ici.

Manfred était mieux habilité que moi à résoudre ce problème. En se rendant à la maison ou dans la grange où nous avions vu Chuck pour la dernière fois, il pourrait le traquer. Mais le mettre au travail alors que sa grand-mère venait de mourir serait inhumain. D'ailleurs, il n'en serait peut-être pas capable. Il m'avait confié à plusieurs reprises que son don était moins puissant que celui de Xylda. Je n'étais pas de cet avis mais il en était convaincu.

Je le contactai malgré tout. Il semblait triste mais calme et posé. Je lui expliquai la situation et il me rassura. Il avait eu des nouvelles de sa mère : les routes étaient dégagées et elle ne tarderait pas à arriver.

— Bon courage, Manfred. À tout à l'heure.

— Je ne fais confiance à personne, marmonna-t-il. Ni au médecin ni aux infirmières. L'administrateur est un fourbe. Même le pasteur me donne la chair de poule. Tu crois que je suis parano ?

— À ce stade, je l'ignore.

— Ah, je comprends, le shérif est avec toi. J'ai un sentiment de malaise, Harper. Il se passe quelque chose d'anormal ici.

— À Doraville ? Ou à l'hôpital en particulier ?

— Je ne suis pas suffisamment en forme pour le déceler, admit-il après un long silence. Je n'ai pas le talent de ma grand-mère.

— Je crois que tu te trompes. Tu manques d'expérience, c'est tout. Tu as un don.

— Tu n'imagines pas combien cela me touche. Je te laisse, à présent. Je viens d'avoir une idée.

Aïe ! Il allait prendre une initiative personnelle. Les jeunes hommes qui se promenaient seuls à Doraville étaient en danger. J'essayai de le rappeler aussitôt.

Il finit par décrocher.

— Où vas-tu ?

Tolliver émergea enfin de la salle d'eau, propre et habillé. Il se figea au son angoissé de ma voix, ses vêtements sales à la main.

— Chercher ce garçon.

— Pas sans être accompagné ! protestai-je. Dis-nous où tu vas.

— Tu risques d'avoir de nouveau des problèmes.

— Nous sommes avec le shérif. Où vas-tu ?

— À la grange.

— Non. Attends-nous, d'accord ? Manfred ?

— On n'a qu'à s'y rejoindre.

Mais il nous faudrait beaucoup plus longtemps pour atteindre notre destination puisque nous étions au bord du lac.

J'annonçai la nouvelle au shérif qui sauta littéralement au plafond.

— Nous avons passé la grange au peigne fin. C'est une bâtisse en bois parfaitement vide, sans la moindre cachette possible. Il n'y reste même plus de cadavres d'animaux et vous nous avez affirmé vous-même qu'aucun corps humain n'y était enterré.

— Des morts, non, il n'y en avait pas... du moins quand... Merde ! Vite ! Nous devons y aller tout de suite !

J'étais maintenant au comble de l'agitation.

Cinq minutes plus tard, nous étions sur la route. La chaussée était praticable et la circulation fluide mais il nous faudrait une vingtaine de minutes pour arriver à Doraville puis dix de plus pour nous rendre chez les Almand.

Au lieu de nous approcher par-derrière comme la veille, nous nous garâmes devant la maison. Je descendis aussi vite que possible. Mes muscles étaient endoloris et j'avais renoncé à l'antidouleur.

Tolliver me soutint par la taille tandis que nous nous précipitions jusqu'à la grange. J'aperçus le véhicule de Manfred sur le chemin au fond de la propriété.

Je sentis alors la vibration. Un cadavre très récent.

— Oh, non ! Non, non, non !

Je me mis à courir et Tolliver dut me saisir sous l'épaule pour me retenir de trébucher. Voyant ma détresse, Rockwell s'embrasa, se propulsant en avant avec son adjoint. Elle dégaina son arme – je ne suis pas certaine qu'elle s'en soit rendu compte.

Nous stoppâmes net en franchissant le seuil du bâtiment croulant.

Tom Almand se tenait devant les stalles vides à l'extrémité, une pelle à la main. À un mètre environ devant lui, Manfred restait debout au prix d'un effort surhumain. Il saignait de la tête. Il s'était équipé d'une bêche à manche court. Elle était si rutilante que je le soupçonnai de l'avoir achetée le matin même.

— Tom, posez cette pelle, ordonna le shérif.

— Lui d'abord ! Il est venu ici pour m'agresser.

— Faux ! rétorqua Manfred.

— Regardez-moi ce malade ! cracha Tom, la bouche tordue en un rictus de haine. Je suis chez moi.

— Tom, posez cette pelle. Tout de suite.

— Il y a un corps à cet endroit, proclamai-je. Il y a un corps à cet endroit *en ce moment même*.

Je voulais être certaine qu'ils comprenaient. Je voulais qu'ils écartent ce salaud de Tom Almand.

Manfred recula de deux pas et plaça délicatement sa bêche par terre.

Tom se rua sur Manfred, la pelle en l'air, prêt à frapper.

186

L'adjoint tira le premier, rata sa cible. Le shérif Rockwell visa Tom au bras. Il poussa un hurlement et s'effondra.

Tolliver et moi restâmes collés contre le mur pendant que l'adjoint s'approchait du thérapeute ensanglanté pour le couvrir. Manfred tomba à genoux, les mains croisées derrière la nuque. Non pas pour signaler qu'il se rendait mais parce qu'il était blessé à la tête.

Nous voulûmes porter secours à notre ami mais le shérif nous en empêcha :

— Ne bougez pas ! aboya-t-elle.

Nous obéîmes. Elle demanda une ambulance par radio et, quand la pelle fut hors de portée de Tom Almand, le menotta avant de le palper soigneusement. RAS. Elle lui cita ses droits mais il ne réagit pas. Son regard était vide, comme lors de la cérémonie à l'église l'autre soir. Il était ailleurs, mentalement.

— Vous sentez toujours un corps ? me demanda-t-elle lorsqu'elle eut terminé.

J'étais tellement abasourdie par la scène dont je venais d'être témoin qu'il me fallut une seconde pour réaliser qu'elle s'adressait à moi. Manfred était-il gravement touché ? Je me fichais éperdument de Tom. S'il perdait tout son sang avant l'arrivée de l'ambulance, tant pis pour lui.

— Oui. Je vous montre... ?

— Cela vous oblige-t-il à approcher cet individu ?

— Je dois me rendre dans la première stalle.

— Allez-y.

Je contournai précautionneusement le groupe jusqu'au seuil du box. À l'intérieur, je me mis à donner des coups de pied dans le foin. Il retombait systématiquement en place. J'entrepris de le ramasser par poignées pour le jeter à l'extérieur.

— Tolliver !

Aussitôt, il fut à mes côtés pour m'aider. La pelle nous aurait été d'un précieux secours mais je n'osai pas la demander.

— N'est-ce pas un loquet ?

— Dommage qu'on n'ait pas une lampe de poche, grommela Tolliver.

Une torche électrique atterrit à nos pieds. Rockwell en avait une accrochée à sa ceinture. Tolliver l'alluma et éclaira les planches.

— Une trappe !

L'adjoint poussa un juron. J'en déduisis qu'il était de ceux qui avaient fouillé les lieux de fond en comble.

Tom s'esclaffa et j'observai les autres. L'adjoint l'aurait volontiers cogné. La tension était palpable. Les sirènes des véhicules de secours résonnèrent au loin. Je voulais absolument ouvrir la trappe avant l'invasion.

Tolliver tenta de pousser le verrou. Il était solidement enfoncé. Sans demander l'autorisation, il alla ramasser la bêche de Manfred. Nous insérâmes le bout dans le minuscule interstice entre le rabat et le plancher puis j'appuyai sur le manche pendant que Tolliver soulevait la trappe. Elle était très lourde. Forcément, on l'avait tapissée de laine de verre de manière à étouffer les cris en provenance du sous-sol.

Je découvris une sorte de puits d'environ deux mètres sur deux. D'une profondeur de trois mètres à peu près, on y accédait par une échelle en bois. Le cadavre de Chuck Almand gisait au fond. Il nous fixait. Il s'était tiré une balle dans la tête. Il s'était littéralement explosé la cervelle.

Derrière lui, un adolescent nu était enchaîné au mur, un ruban adhésif sur la bouche. Il gémissait, le visage figé en une expression d'horreur. Il était éclaboussé du sang de Chuck et probablement du sien. Sa

188

chair était émaillée d'entailles autour desquelles s'étaient formées des croûtes noires. Les plaies étaient rouges, enflées, complètement infectées. Il n'avait pas de couverture, pas de veste, rien et il avait passé la nuit auprès d'un mort.

Je sortis en courant de la grange et vomis. L'un des secouristes s'arrêta au passage mais je lui indiquai d'un geste que je n'avais pas besoin de lui.

Au bout de quelques minutes, Tolliver apparut. J'étais adossée contre le mur, anéantie.

— Il s'est tué pour que tu le retrouves, murmura Tolliver. Pour que tu démasques son père.

— Seigneur ! Il a pris un risque énorme ! Et si je n'étais jamais revenue ?

— Et si Manfred n'avait pas décidé de passer ?

— D'après toi, Tom Almand savait-il où était Chuck depuis qu'il avait donné l'alerte ?

— Non mais à mon avis, il n'a pas eu l'occasion de vérifier. C'est son ami qui l'a incité à signaler la disparition de Chuck.

— Il s'est sacrifié. Et... presque – presque – pour *rien*.

— Il n'avait que treize ans, soupira Tolliver.

Les brancards passèrent, celui de Manfred d'abord, blême comme un linge, les yeux grands ouverts et vitreux.

— Manfred ! lançai-je, juste pour qu'il sache que nous étions là, que nous savions ce qu'il avait fait.

Il ne cilla pas.

Tom Almand vint ensuite, paupières closes, lèvres étirées en un étrange sourire. Il avait un poignet menotté à la civière ; l'autre bras était bandé. Qu'il souffre ! Le shérif Rockwell avait-elle évité exprès de le tuer ?

Ce n'était pas plus mal. Ceux auxquels il avait infligé le plus de douleur, les survivants, pourraient peut-être faire leur deuil après le procès. Car il serait inculpé et jugé, non ? Nous suivrions l'affaire dans les journaux nationaux. Les médias raffolent des serial killers, que le meurtrier soit gay, hétéro, blanc ou noir. En ce domaine, la discrimination n'existe pas.

Je me rendis compte que je délirais et surtout, que notre place n'était pas ici. Mais les deux agents du SBI accouraient comme si la grange avait pris feu et qu'un bébé y agonisait. Ils n'étaient pas près de nous lâcher. Solidement entraînés, Stuart et Klavin se plantèrent devant nous, pas du tout essoufflés.

— Vous voici de nouveau, dit l'agent Stuart.

Il portait des gants en cuir, une parka et des bottes étincelantes qui lui montaient jusqu'aux genoux. Le parfait montagnard ! Klavin était plus modeste en veste imperméable usée et bonnet de laine à oreillettes.

— Il s'est tué, déclarai-je.

Ils m'auraient posé la question.

— Qui ?

Je craignis un instant que Stuart me secoue comme un prunier, tant il était impatient de savoir ce qui s'était passé.

— Chuck Almand. Il s'est tiré une balle dans la tête.

— Les ambulances sont pour qui ? gronda Klavin.

— Tom Almand et Manfred Bernardo, répondit Tolliver.

Ils échangèrent un regard perplexe.

— Le père du gosse et le petit-fils de la médium, précisa Tolliver.

— Elle est morte cette nuit, rétorqua Stuart.

— En effet. Et son petit-fils a failli mourir aujourd'hui.

190

— La dernière victime est vivante, intervins-je.

Ils démarrèrent au quart de tour.

— Pourquoi ne l'ont-ils pas encore sortie ?

Tolliver se pencha pour jeter un coup d'œil à l'intérieur mais abandonna la partie. Il n'avait aucune envie d'y retourner. Moi non plus.

— Ils ont peut-être du mal à retirer ses chaînes, suggérai-je.

Tolliver hocha la tête. Sans doute.

— Qui est-ce ? s'interrogea-t-il un long moment plus tard.

Le temps s'était nettement amélioré mais nous avions froid à force de poireauter sans rien faire.

Je pivotai vers Tolliver et nous nous étreignîmes.

— Nous ne tarderons pas à le découvrir, chuchotai-je contre sa joue. Ce sera dans les journaux, aux informations télévisées.

Le corps torturé, recroquevillé contre le mur, éclaboussé de sang. Le pauvre Chuck, mort au fond de ce puits glacial.

*Seigneur Dieu ! Tu ne nous as pas créés pour commettre de telles abominations !*

J'aurais pu m'écrier : « Pourquoi, mon Dieu ? » Mais à quoi bon ?

— Chuck a sauvé la vie de ce garçon. Il m'a fourni un cadavre pour que je le retrouve.

— Crois-tu qu'il ait exécuté ces animaux ?

— Son père l'y a peut-être forcé dans l'espoir que Chuck suivrait ses traces. Ou encore, parce que si Chuck était coupable de *quelque chose*, il hésiterait à le dénoncer.

— Xylda semblait certaine que c'était Chuck.

— Je serais désolée qu'elle se soit trompée lors de son ultime vision.

— Moi aussi, avoua Tolliver d'un ton morose. Dois-je croire que sa haine envers Chuck ait précipité le dénouement de cette histoire ? Tout le monde le considérait avec un tel dégoût, un tel mépris... Son père encore plus que les autres. Alors qu'il était un monstre et que son fils le savait.

— Chuck est un héros. Il a survécu auprès d'un père qui assassinait des jeunes pour le plaisir.

— Il n'en a jamais parlé à personne.

— Il n'était peut-être pas au courant jusqu'au jour où l'on a déterré les animaux. Il a dû deviner à ce moment-là que son père était le tueur ou alors, Tom lui a tout raconté. Un truc du genre : « On te prend pour un fou mais ce n'est rien à côté des actes que j'ai commis. »

Tolliver est plus réaliste que moi.

— Selon moi, il était au courant depuis le début. Il s'est tu parce qu'il aimait son papa, ou parce qu'il avait peur de lui ou encore, parce que martyriser les bêtes l'amusait et lui donnait la sensation d'être au même niveau que Tom. On peut même supputer qu'il a participé aux enlèvements. Certains de ces adolescents étaient grands et lourds. Les joueurs de football, ceux qui avaient atteint leur taille adulte. Tom Almand est si menu, je m'étonne qu'il ait pu les transporter tout seul.

— Mais Chuck a mis un terme à ces atrocités.

Je blottis mon visage dans le blouson de Tolliver. Il me caressa les cheveux en prenant soin d'éviter la partie rasée sur la gauche de mon crâne. Il me tapota le dos. Un geste réconfortant.

Enfin, les secouristes sortirent avec la dernière victime, déjà sous perfusion, harnachée au brancard. Il avait les yeux fermés et des larmes roulaient sur ses joues maculées.

192

— Comment t'appelles-tu ? demanda le shérif Rockwell.

— Mel, chuchota-t-il. Mel Chesney. De Queen's Table, près de Clearstream.

— Mel, depuis combien de temps es-tu enfermé dans ce trou ? interrogea Klavin.

— Deux jours. Je crois. Je ne veux pas en parler.

Je compatissais.

Il se trouvait déjà là lors de notre confrontation avec Chuck. Si Chuck nous avait révélé sa présence à ce moment-là... mais son père avait surgi, le coupant dans son élan. Mel Chesney avait-il été là quand les policiers avaient exhumé les carcasses d'animaux ?

Tous les officiels présents sur la scène devaient se poser cette question. Mel Chesney avait passé des heures dans ce puits, seul tout d'abord, puis en compagnie d'un mort, à guetter le moment où l'on viendrait le torturer. C'était un miracle qu'il n'ait pas succombé à l'hypothermie !

Personne ne tenta de nous barrer le chemin tandis que nous nous dirigions vers la voiture du shérif. Nous avions besoin d'un moyen de transport pour regagner le chalet.

— Rob, emmenez-les au poste.

Rob Tidmarsh leva l'index pour signaler qu'il en avait encore pour une minute.

Rockwell nous fusilla des yeux comme si nous étions un détail agaçant qu'elle devait effacer de son ardoise avant de se concentrer sur des préoccupations plus importantes. J'étais parfaitement d'accord.

— Nous devons examiner la scène et ça risque de durer. Installez-vous au poste et dès que j'aurai un homme de disponible, je vous l'enverrai.

— Rob ne peut pas nous y conduire directement ?

— Il doit nous rapporter l'appareil photo. Les gars de la médecine légale de l'État vont arriver d'ici peu mais nous voulons avoir nos propres clichés. Vous allez devoir prendre votre mal en patience.

C'était déjà le cas depuis plusieurs jours.

Nous n'avions pas d'autre solution.

— Ils emmènent l'enfant à l'hôpital local ? demandai-je à l'adjoint.

— Non, à celui d'Asheville. Les gars du SBI ont insisté. On a pourtant de bons médecins chez nous, ajouta-t-il avec une pointe de ressentiment.

— J'ai été bien soignée.

Je l'admets, j'essayais d'amadouer Rob au cas où l'on parviendrait à le convaincre de nous déposer au chalet plus vite que prévu. Mais c'était la vérité. L'établissement de Doraville n'était peut-être pas équipé de machines dernier cri mais le personnel s'était révélé compétent et gentil, quoique débordé.

Rob se décontracta légèrement.

Traverser une ville à l'arrière d'un véhicule de la police est une expérience étrange. On se sent coupable malgré soi et montré aux yeux de tous. Quand nous descendîmes de la voiture, une nuée de journalistes se précipita à l'arrière du bâtiment pour nous interroger. Étions-nous en état d'arrestation ? Nom de nom ! Je n'étais pas d'humeur à supporter leurs questions idiotes. Pourquoi ces charognards n'étaient-ils pas à la grange ?

— Nous avons communiqué par portables, expliqua Rob quand je lui posai la question.

Il était complètement détendu, à présent, et eut même la courtoisie de me tenir la porte, indiquant à la meute que j'étais dans ses petits papiers.

À l'intérieur, c'était le chaos. La nouvelle s'était répandue à travers les services et elle ferait le tour de la ville d'ici peu.

Ne sachant trop que faire de nous, Rob nous installa dans une salle d'interrogatoire et nous signala l'empla-

194

cement des distributeurs automatiques si nous avions faim ou soif. Il nous autorisa à récupérer quelques magazines sur la table basse du hall d'entrée. De toute évidence, il était pressé de rejoindre ses collègues.

Suivirent plusieurs heures d'ennui profond. Nous aurions pu être sur la route. Nous aurions pu être au lit en train de savourer notre nouvelle relation, une perspective que Tolliver envisageait avec bonheur (personnellement, j'étais épuisée et j'avais mal partout). Nous aurions pu renflouer notre porte-monnaie en accomplissant une autre mission ailleurs. Non. Nous étions condamnés à tourner en rond dans une pièce sombre.

Pour passer le temps, nous nous aventurâmes jusqu'au hall pour réquisitionner toutes les revues et achetâmes des friandises aux distributeurs.

Rockwell, Klavin et Stuart revinrent enfin. Ils déplièrent des chaises autour de la table et nous dûmes une fois de plus tout leur raconter.

— Et vous êtes certaine que Chuck s'est donné la mort pour que vous puissiez retrouver l'autre garçon ? demanda Stuart pour la cinquième fois.

Je haussai les épaules.

— J'ignore ce qu'il avait dans la tête.

— Il aurait pu écrire un mot, il aurait pu nous appeler ou vous appeler, vous. « Mon père a enfermé un garçon dans une cachette », et le problème était résolu.

— Pas pour lui, fit remarquer Tolliver.

— Chuck avait treize ans. Il croulait sous le poids de l'horreur, de la culpabilité et du chagrin. Je pense qu'il a voulu se repentir, pour lui et pour son père.

— Selon vous, mademoiselle Connelly, a-t-il torturé ces animaux de son plein gré ?

— Si c'est le cas, le fait d'y prendre plaisir l'a épouvanté.

Le comportement de Chuck Almand ne s'expliquait pas facilement. À la fin, il avait probablement voulu faire pour le mieux mais dans sa réflexion, il n'avait pas envisagé la possibilité de s'en sortir indemne. Il n'avait pas vécu assez longtemps pour comprendre qu'il avait un avenir après l'arrestation de son père. Or il voulait que ce dernier cesse de tuer. Du moins est-ce ainsi que j'interprétais ses actes.

Ils nous interrogèrent indéfiniment, s'efforçant de nous arracher des aveux que nous ne pouvions leur fournir.

— Ne dites à personne ce que vous avez vu dans la grange, décréta Klavin. Pas avant que l'affaire ne soit close.

Nous n'aurions aucune difficulté à respecter cette promesse. Nous n'avions aucune envie de parler de ce que nous avions vu.

Selon moi, l'enquête ne serait pas résolue de sitôt. Toutefois, je me gardai de le leur dire. Après tout ce que nous avions fait, ils continuaient à se méfier. Pourtant, le doute me rongeait. J'avais une impression d'inachevé.

Nous devions maintenant retrouver Manfred et sa mère – qui devait se demander ce qu'elle avait fait dans une vie antérieure pour mériter une telle succession de malheurs.

À ma grande surprise, le shérif m'annonça que Manfred était resté à l'hôpital du comté.

— Je le comprends, confiai-je à Tolliver en remontant dans la voiture de Rob, qui avait enfin reçu l'ordre de nous ramener au chalet. Si on l'avait transporté à l'hôpital d'Asheville, ç'aurait sérieusement compliqué la vie de sa mère.

— Le médecin assure qu'il sera bien soigné ici, dit Rob.

196

— Tant mieux.

Je me rappelai alors les soupçons de Manfred concernant le décès de sa grand-mère. Peut-être n'était-il pas si bien que cela à Doraville. Merde. Encore des soucis !

À notre arrivée, nous fîmes notre valise et la rangeâmes dans le coffre – au cas où. Nous éteignîmes le feu. Nous accrochâmes la clé au rétroviseur de façon à ne pas oublier de la rendre à Twyla – au cas où. Puis nous nous rendîmes à Doraville. Nous avions profité de l'occasion pour nous rafraîchir car nous n'avions guère eu le temps de nous pomponner au saut du lit. Comme j'avais mal au bras, je gobai un cachet anti-douleur. J'avais un peu honte car tant d'autres personnes souffraient plus que moi. Mais je ne pouvais soulager que mes propres maux.

— Je continue ? s'enquit Tolliver tandis que nous nous arrêtions au carrefour principal.

Droit devant nous s'étirait la route vers la liberté. À gauche, celle de l'hôpital.

— J'aimerais bien mais il me semble que nous devrions passer prendre des nouvelles de Manfred et de sa maman.

Tolliver se renfrogna.

— Je parie que sa mère est une dure à cuire. On l'est forcément quand on est la fille de Xylda. Je suis certain qu'ils vont bien.

Je l'observai à la dérobée.

— Bon, d'accord, soupira-t-il.

Il bifurqua.

# Chapitre 12

Rain Bernardo, la mère de Manfred, était une version plus jeune de Xylda. Cependant je ne tardai pas à découvrir que la ressemblance était purement physique. Rain n'avait aucun talent de médium et n'était pas spécialement proche de Xylda. Elle travaillait dans une usine où elle avait gravi les échelons jusqu'à un poste de cadre. Elle en était fière. Elle était fière, aussi, de son statut de mère célibataire. Elle regrettait que Manfred ait suivi les pas de sa grand-mère plutôt que les siens. Mais elle aimait son fils, elle avait aimé sa mère. Au chevet de Manfred, elle était abattue, c'est-à-dire qu'elle ne sortait plus que cinquante mots à la seconde au lieu de cent.

Elle avait hérité des cheveux roux de sa famille et des courbes de Xylda, en moins généreux. Pour tout dire, Rain était ravissante et j'étais presque sûre qu'elle n'avait pas encore soufflé ses quarante bougies.

Nous étions là quand le premier des visiteurs habituels arriva. Barney Simpson était plus solennel que jamais et je me demandai s'il était un ami de Tom Almand. Après s'être enquis comme à l'accoutumée du bien-être, du confort et des soins prodigués à son patient, il traîna. Peut-être était-il fasciné par Rain ? Après tout, il était divorcé.

— Toutes mes condoléances pour votre mère, lui dit-il. C'était une excentrique et je sais qu'elle va vous manquer. Malgré la brièveté de son séjour parmi nous, elle a beaucoup impressionné nos concitoyens. Ils ne l'oublieront pas de sitôt.

Quel tact ! Pâle et perclus de douleurs, Manfred ne put s'empêcher d'ébaucher un sourire.

— Je vous remercie, répondit Rain, tout aussi poliment. Merci de vous être si bien occupé d'elle. Manfred m'a dit que vous lui aviez rendu visite. Elle était en fort mauvaise santé et nous savions que ses jours étaient comptés. Nous n'en voulons pas du tout à l'hôpital de ne pas avoir pu la sauver.

Elle observa Manfred à la dérobée. Il avait fermé les yeux, fuyant la conversation.

— Manfred pense qu'il faudrait procéder à une autopsie, reprit Rain. Elle n'était pas suivie à Doraville mais dans le Tennessee, et elle avait consulté son cardiologue juste avant de venir. Qu'en pensez-vous ?

À cet instant, le Dr Thomson apparut.

— Mes amis, il pleut des cordes ! s'exclama-t-il en secouant légèrement son parapluie. Que de la pluie, pas de la glace, ajouta-t-il.

— Tu arrives à point, déclara Barney. Justement, nous étions en train de discuter.

Il lui répéta la question de Rain.

— Alors ? Ton avis ?

— Tout dépend des informations que nous procurera son médecin dans le Tennesse, répliqua Len Thomason, songeur. S'il pense que le décès de Mme Bernardo était inéluctable, une autopsie serait inutile et c'est ce que j'expliquerai au coroner. D'un autre côté, enchaîna-t-il en levant les deux mains pour nous inciter à la « prudence »... Si ce médecin n'est pas satisfait – et il la connaissait mieux que nous – nous devrons nous plier à cette requête.

De prime abord, le discours du Dr Thomason était sain et pragmatique. Il avait raison, bien sûr, il fallait attendre d'avoir tous les éléments en main avant de prendre une décision. Cette attitude devait lui être précieuse au quotidien. J'avais presque honte de l'avoir soupçonné d'être lié au martyre des adolescents. Tout à coup, à le voir sourire gravement tout en continuant à parler avec Rain, je l'imaginai persuadant un de ces garçons de le suivre. Un médecin inspire la confiance. Il aurait pu inventer des dizaines de prétextes plausibles pour les amadouer. Je n'en avais pas en tête tout de suite, mais en y réfléchissant...

Même Barney Simpson, qui n'était pas le plus guilleret des individus, s'égayait en présence du Dr Thomason. Il avait salué Xylda la veille ; non, il avait jeté un coup d'œil dans la pièce et s'en était allé. Il n'était pas entré.

En face, dans le couloir, Doak Garland priait avec les proches d'un malade. Sur la porte de la chambre, on avait accroché un panneau « Attention ! Oxygène ». N'importe qui le suivrait, lui aussi. Il était si humble et doux, lisse et courtois.

Quelle mouche me piquait de m'inquiéter de l'existence éventuelle d'autres suspects ? Tom Almand était en prison. L'enquête était close. Difficile de croire qu'un seul homme pouvait causer tant de mal. Même son fils était mort de sa cruauté. Non, décidément, quelque chose clochait.

J'étais convaincue que Tom avait eu un complice, un partenaire du crime.

Une fois cette idée ancrée dans ma cervelle, impossible de m'en débarrasser. Pendant que Tolliver bavardait avec Barney Simpson et que Rain discutait de l'état de Manfred avec le Dr Thomason, je méditai sur les raisons qui me poussaient dans cette voie. Je les avais toutes rassemblées quand je rencontrai le regard de Manfred. Je sentis qu'il se connectait avec moi.

— Maman !

Surprise, Rain se tourna vers lui.

— Quoi, mon chéri ? Tu souffres ?

— J'ai réfléchi. Je n'insisterai pas pour l'autopsie si tu laisses Harper toucher grand-mère et nous dire ce qu'elle voit.

Rain pivota vers moi, lèvres pincées. Elle avait visiblement du mal à contenir sa révulsion. Non seulement elle n'avait cru qu'à moitié au talent de Xylda, mais elle l'avait détesté.

— Oh, Manfred ! s'exclama-t-elle, bouleversée. Ce n'est pas nécessaire. D'ailleurs je doute que Harper accepte.

— Je saurai comment elle est morte, intervins-je. Ce sera moins coûteux et nettement moins invasif qu'une autopsie.

— Harper...

Elle lutta contre elle-même pendant une bonne minute et j'eus pitié d'elle. Brusquement, elle s'adressa au Dr Thomason.

— Cela vous ennuierait-il, docteur ? Que Harper...

— Pas du tout ! assura-t-il. Nous autres médecins sommes conscients depuis longtemps que tout ne s'explique pas sur cette terre. Si cela peut apaiser votre fils et si vous en êtes d'accord...

Il semblait sincère. Mais un psychopathe comme celui qui avait martyrisé tous ces garçons cachait bien son jeu, non ? Sans quoi on l'aurait démasqué depuis des lustres.

— Avez-vous eu des nouvelles du jeune que l'on a transporté à Asheville ? m'enquis-je.

— Oui, répondit Thomason en hochant vigoureusement la tête. Il se terre dans le mutisme le plus total. Toutefois, sa vie n'est plus en danger. Il devrait se remettre. Son silence est d'origine psychologique, pas physique. En d'autres termes, sa langue et ses cordes vocales fonctionnent parfaitement. Ses poumons aussi. Bien ! Mademoiselle Connelly, la dépouille est au salon funéraire *Doux Repos*, dans la rue principale. Je vais les prévenir de votre venue.

J'opinai. Je n'étais pas enchantée mais j'avais envie de savoir ce qui avait entraîné Xylda dans l'au-delà. Je lui devais au moins cela. À Manfred aussi.

— Combien de temps Manfred devra-t-il rester ici ? voulut savoir Rain.

Le Dr Thomason, qui s'apprêtait à sortir, pivota vers son malade.

— Si ses constantes sont stables, s'il n'a pas de fièvre ou d'autres symptômes inquiétants, il devrait pouvoir nous quitter demain. Et vous, jeune fille ? Votre bras ?

— Il va beaucoup mieux, merci, répondis-je.

Barney Simpson guettait depuis un moment une pause dans la conversation pour s'éclipser.

— À plus tard ! lança-t-il en fonçant vers la porte.

Était-ce la douleur ? La pression qu'il subissait depuis une semaine ? Toujours est-il que Manfred nous surprit tous :

— Et le mariage ? C'est pour quand ?

Un silence de plomb nous enveloppa. Le Dr Thomason précipita son départ et laissa Rain clouée sur place, aussi sidérée que Tolliver et moi.

Je m'étais doutée que Manfred serait malheureux. Je n'avais pas imaginé qu'il serait furieux. Je me dis qu'il avait accumulé les chocs depuis quelques jours.

— Nous n'avons pas encore fixé la date, riposta Tolliver.

202

*Le salaud !* À présent, j'en voulais au monde entier. Rain était bouche bée, Manfred boudait et Tolliver bouillonnait de rage.

— Je suis désolée, dit Rain d'un ton sec. Je croyais que vous étiez frère et sœur. J'ai dû mal comprendre.

J'aspirai une grande bouffée d'air.

— Nous ne sommes pas liés par le sang. Nous avons simplement vécu toute notre adolescence sous le même toit, expliquai-je d'une voix que j'espérais posée. Manfred est sûrement très fatigué. Nous allons nous rendre au salon funéraire. *Doux Repos*, c'est bien cela ?

— Oui, marmonna Rain.

Elle était désemparée. Comment lui en vouloir ?

— Ne le laisse pas te manipuler, Harper, gronda Tolliver dès que nous fûmes dehors.

— Tu crois qu'en entendant le mot « mariage » je vais détaler comme un lapin ?

J'eus un petit rire sans joie.

— Je sais que tout ira bien pour nous. Pas la peine de brûler les étapes. Tu es d'accord avec moi ?

— Oui. Nous avons tout notre temps.

À force de côtoyer des personnes que la mort a happées de façon imprévue, je me méfie de ce genre de déclaration. Mais ce n'était pas le moment d'aborder le sujet.

Nous nous garâmes devant un édifice de taille modeste en briques rouges. J'ai visité des centaines de funérariums car la plupart des gens se décident à solliciter mes services à la dernière minute. J'étais prête à parier que celui-ci comprenait deux salles. Nous traversâmes le hall et, en effet, nous nous retrouvâmes face à deux portes. Devant chacune était dressée une table pour le livre de condoléances. Sur la première était placé un de ces panneaux en feutrine noire sur lesquels on appose des lettres blanches au dos en Velcro : James O. Burris. Le deuxième était vierge. Les deux autres pièces à notre droite et à notre gauche devaient être réservées au propriétaire et au copropriétaire ou assistant, à moins que l'une d'entre elles ne serve de lieu de réception pour les familles en deuil.

La directrice en personne surgit, une femme rondouillette d'une cinquantaine d'années. Elle portait un tailleur pantalon bien coupé et des mocassins confortables. Question coiffure et maquillage, elle avait opté pour la simplicité.

— Bonjour, dit-elle avec ce demi-sourire commun à tous ses collègues. Vous êtes Mlle Connelly ?

— Oui.

— Vous souhaitez voir la dépouille de Mme Bernardo ?

— Oui.

— Tolliver Lang, dit Tolliver en tendant la main.

— Cleda Humphrey, répliqua-t-elle en la serrant vigoureusement.

Elle nous conduisit le long d'un couloir jusqu'au fond du bâtiment. Là, elle déverrouilla une porte latérale et nous franchîmes un bout du parking jusqu'à une vaste bâtisse.

— Mme Bernardo est ici, annonça-t-elle, car elle sera enterrée ailleurs. Nous conservons nos visiteurs provisoires dans une salle de transition.

« Salle de transition » rimait pour Cleda Humphrey avec « réfrigérateur ». Elle ouvrit une porte en acier inoxydable, provoquant un souffle d'air glacé. Xylda gisait dans un sac noir sur une civière.

— Elle est encore habillée de sa blouse d'hôpital et on a laissé tous les tubes en attendant la décision du légiste.

*Merde !* pensai-je. Tolliver se raidit.

— Au moins, son âme s'est envolée, déclarai-je.

Je me serais volontiers giflée quand je m'aperçus que je m'étais exprimée à voix haute.

— Ah ! s'exclama Cleda. Vous aussi, vous les voyez.

— Oui, murmurai-je, ahurie.

— Je croyais être la seule.

— Nous ne sommes pas nombreux. Est-ce que cela vous aide dans votre métier ?

— Quand elles sont parties comme il faut, oui. Si j'en vois une qui rôde, j'appelle le pasteur pour qu'il dise une prière. Parfois ça marche.

— Je tâcherai de m'en souvenir... Bien... à moi de jouer.

Je fermai les yeux, me concentrai de toutes mes forces et posai la main sur le sac. Je sentis la chair froide sous la surface.

*Je suis fatiguée, si fatiguée... Où est Manfred ? Que fait cet homme ? Il me regarde. Fatiguée... dormir.*

Je rouvris les yeux et rencontrai le regard bleu de la directrice du funérarium.

— Mort naturelle.

Si quelqu'un s'était contenté de l'observer, ce n'était pas un meurtre. Je n'avais pas l'impression qu'on l'avait touchée. Un homme avait contemplé Xylda dans ses derniers instants. Quoi de surprenant à cela ? Ce pouvait être le médecin ou un infirmier. Toutefois, l'image m'avait glacé le sang... Cet individu avait laissé partir Xylda sans intervenir. Calme, impassible. Il n'avait pas précipité le décès mais il n'avait rien fait non plus pour l'empêcher.

— Tant mieux ! approuva Cleda. Je suis sûre que la famille sera rassurée de l'apprendre.

— Sans doute.

La porte de la salle de transition se referma.

Dans un silence pesant, nous retraversâmes le parking.

— Je suppose que vous vous préparez pour un surcroît de cérémonies, dit Tolliver. Quand les corps des... des garçons seront rendus aux proches.

Il avait failli dire « victimes ».

— Nous serons probablement débordés. L'un d'entre eux était mon neveu. Sa maman, l'épouse de mon frère, peine à sortir de son lit le matin. Qu'on ait enlevé et tué cet enfant est déjà douloureux. Mais imaginer qu'il a survécu un temps et subi de tels sévices est insoutenable.

Que répondre à cela ? Elle avait parfaitement raison. J'ai toujours pensé que ma sœur Cameron avait été violée avant qu'on ne l'assassine, sans jamais en avoir la preuve. Le seul fait de l'évoquer était insupportable. Mais le moment n'était guère propice aux confidences de ce genre.

— Nous sommes désolés, marmonnai-je.

— Merci.

Cleda Humphrey nous accompagna dignement jusqu'à la sortie.

— Elle s'est montrée aimable, constata Tolliver tandis que nous montions dans la voiture. Jamais je n'ai rencontré une directrice de salon funéraire aussi décontractée.

— Elle nous a acceptés sans sourciller.

— Ça fait du bien.

— Oui, renchéris-je.

Tolliver mettait la clé de contact quand le pasteur Doak Garland gara sa modeste Chevrolet le long de notre véhicule. Il en descendit et s'approcha. Tolliver appuya sur le bouton pour baisser la vitre.

— Re-bonjour ! nous salua-t-il en se penchant pour nous voir tous les deux.

— Que faites-vous ici ?

Pourvu qu'il ne m'interroge pas sur *notre* visite au salon funéraire.

— Le corps de Jeff McGraw sera rendu à la famille demain. Je viens discuter de la cérémonie avec Cleda. Il faudra certainement renforcer le contrôle de la circulation et j'en ai déjà parlé au shérif. Je pense que Cleda devra prévoir des heures de visites supplémentaires en nocturne.

— Ce sera la première d'une longue série, devina Tolliver.

— Je n'étais pas le pasteur de tous ces enfants, répondit Doak avec un sourire doux. Mais tous les habitants de la région assisteront à chacun des enterrements. Ce sera difficile pour tout le monde. Peut-être le méritons-nous. Comment cela a-t-il pu se passer sans qu'aucun de nous s'en aperçoive ?

Cette question me hantait.

— L'ex-shérif, Abe... euh, Abe Madden a sa part de responsabilité, il me semble. Il a avoué lui-même l'autre soir qu'il s'était accroché à l'idée que tous ces jeunes étaient des fugueurs.

Doak Garland parut choqué.

— Ce n'est pas à nous de pointer le doigt sur de possibles coupables, prononça-t-il sans grande conviction.

De toute évidence, ce n'était pas la première fois qu'il pensait au rôle d'Abe Madden dans cette histoire.

— Vous croyez vraiment que c'est une partie du problème ?

— Bien entendu ! répliquai-je, étonnée.

Je ne connaissais pas Abe Madden. Je n'avais pas à épargner ses sentiments ou sa réputation.

— Si sa réaction envers ces disparitions fut telle qu'on me l'a décrite, il a de quoi s'en vouloir. Une enquête plus approfondie à l'époque aurait sauvé la vie de quelques-uns de ces jeunes.

— Le fait de désigner un responsable atténuera-t-il la portée du drame ?

— Oui. Pour tout le monde sauf Abe Madden. Distribuer des blâmes aide les gens à plus d'un égard. Du moins d'après mon expérience. De plus, quand on corrige un comportement qui a engendré une crise, on peut espérer mettre un terme à ladite crise.

Je haussai les épaules. Peut-être que oui, peut-être que non.

À son honneur, Doak Garland ne me sortit pas une platitude comme l'auraient fait la plupart de ses compagnons religieux. Il rumina quelques instants.

— Vous n'avez pas tort. Mais franchement, mademoiselle Connelly, cela revient à désigner un bouc émissaire sur lequel faire peser nos péchés à tous.

Je réfléchis à mon tour.

— D'accord, convins-je. Toutefois, dans le cas qui nous préoccupe, l'ex-shérif a sa part de responsabilité.

— Il l'assume. Je crois même que ce serait une bonne idée que je lui rende visite. Il se pourrait que ses réflexions suivent le même chemin que les vôtres.

Le pasteur essayait-il de me déstabiliser ? Je n'insistai pas. Je sais pour l'avoir vécu que l'on doit endosser la responsabilité de ses actes si l'on veut pouvoir avancer dans l'existence.

Nous n'avions plus rien à nous dire. Je levai les sourcils et Tolliver s'interposa.

— Nous devons y aller.

Sur ce, il remonta la vitre et nous démarrâmes.

— Direction... ? Je peux conduire sans but mais il reste encore des plaques de verglas.

— J'ai faim, pas toi ?

Tous les commerces de Doraville étaient ouverts et les autochtones vaquaient à leurs affaires, l'air soulagé. J'étais rassurée, moi aussi. Nous allions pouvoir déguerpir au plus vite.

— Si on partait tout de suite ? proposa Tolliver. On atteindrait l'autoroute dans moins d'une heure et on n'aurait aucune difficulté à trouver un restaurant.

J'étais très tentée. Nous étions une fois de plus sur le parking de *McDonald's* et je fixais les arches dorées avec résignation.

— Nous devons rendre la clé du chalet, arguai-je.

— Un détour de cinq minutes.

— Tu crois qu'ils nous donneront l'autorisation ?

— Qui ? Les gars du SBI ? Le shérif Rockwell ? Que voudraient-ils de plus ?

— Nous n'avons pas signé notre déclaration concernant les événements d'hier.

— Exact. Cela va exiger un arrêt de quarante-cinq minutes au poste de police. Très bien, on mange un hamburger et on règle les affaires courantes.

J'avais très envie de m'en aller mais une chose, voire deux ou trois, me tracassaient. Je ne cessais de me répéter que ce n'était pas mon domaine, que je n'étais pas flic. D'un autre côté, si j'avais des soupçons, n'était-il pas plus sage de les confier à quelqu'un qui me prendrait au sérieux ?

Nous rejoignîmes la queue. Je ne considérais plus Tolliver comme mon frère. Nous avions largement dépassé ce stade. Je me rendis compte que j'avais le droit de lui prendre la main en public. Maintenant qu'il connaissait mes sentiments. Il était sur la même longueur d'onde. Nous n'avions plus à nous cacher. Mais par peur de le perdre s'il se rendait compte de mon amour pour lui, j'avais pris l'habitude de me tenir à l'écart sans le toucher, sans le regarder. Depuis la tempête, je pouvais le contempler à ma guise et il en serait heureux.

— Tu te rappelles la prédiction de Xylda, à Memphis ? Que nous serions heureux à l'ère de la glace ? murmurai-je.

— Oui. Nous avions convenu qu'elle ne se trompait pas toujours.

— D'après moi, plus elle vieillissait, plus elle y voyait clair, dis-je.

— Je doute que sa fille en soit convaincue.

— Rain aspire à la normalité. Si j'avais été élevée dans le giron de Xylda, avec ses humeurs en dents de scie, je serais pareille.

— Nous avons assez souffert dans notre jeunesse.

Certes. Vivre auprès de Xylda aurait été un bonheur comparé à ce que nous avions connu à Texarkana.

En choisissant notre table, je pensai une fois de plus au sacrifice de Chuck Almand. J'étais toujours aussi intriguée par son geste.

J'avais saisi au passage des serviettes en papier, des pailles et des sachets de ketchup. Tolliver déposa le plateau entre nous et je m'emparai de mon sandwich. L'avantage, c'est que ce n'était pas compliqué à manger d'une seule main. Sans m'interroger, Tolliver ouvrit trois sachets de ketchup et les versa sur mes frites.

— Merci.

Je me réfugiai dans mes pensées. Ce n'était pas un lieu où confier mes angoisses à Tolliver – pas ici où toute la population de Doraville qui n'était pas en classe ou au bureau semblait s'être rassemblée pour partager les microbes et engloutir une nourriture malsaine. L'appétit coupé, je remis les restes sur le plateau.

— Qu'y a-t-il ?

Je décelai dans la voix de Tolliver un soupçon d'anxiété ou d'irritation. Il était pressé de partir. Doraville lui donnait la chair de poule et son sommeil était peuplé de cauchemars depuis notre macabre découverte.

— J'aimerais que nous retournions sur le site. Je suis désolée, vraiment désolée, ajoutai-je. Il le faut.

— Nous avons retrouvé les corps, répondit-il aussi bas que possible. Nous avons accompli notre mission. Nous avons été rémunérés.

Nous sommes si rarement en conflit que j'en eus mal au cœur.

— Je suis désolée, répétai-je. Sortons d'ici pour en parler, veux-tu ?

Rigide et silencieux, il vida nos emballages dans la poubelle et jeta le plateau sur la pile. Il me tint la porte, déverrouilla la voiture et monta du côté conducteur mais sans mettre le moteur en marche. Il attendait une explication. Il n'avait jamais réagi ainsi. En général, mes désirs étaient des ordres. Mais notre relation avait évolué et nous n'en maîtrisions pas encore l'équilibre. Désormais, je lui devais des éclaircissements. Je le concevais. Le rôle de Reine du Monde n'était pas toujours confortable. Je m'y étais un peu trop accoutumée.

Par le passé, je lui aurais simplement fait part de mon besoin de regagner la scène du crime. Il m'y aurait conduite sans me poser la moindre question. Du moins, la plupart du temps. Je me tournai vers lui et inspirai un grand coup.

— Voilà... D'après ce que nous savons, il semble que Chuck Almand ait aidé son père à séquestrer les garçons. Son père le mettait au parfum en lui montrant comment tuer chats, chiens et autres bêtes de petite taille afin qu'un jour Chuck devienne un grand serial killer comme papa. D'accord ?

Tolliver hocha la tête.

— Erreur. Si Chuck filait un coup de main à son père et si nous acceptons le fait qu'il fallait être deux pour maîtriser ces adolescents...

— Gacy travaillait seul, interrompit Tolliver.

Vrai. John Wayne Gacy avait torturé et assassiné de jeunes garçons dans la région de Chicago et il avait agi en solitaire. À en juger par les photos que j'avais pu voir, il n'était pas spécialement en forme.

— Il les incitait à mettre des menottes, non ? Il prétendait qu'elles étaient factices et qu'il allait leur montrer comment les enlever, mais il mentait.

— Je crois que oui.

— Il avait une astuce. Tom en avait peut-être une autre.

— Dahmer aussi a agi en solo.

— Oui.

— Où veux-tu en venir ?

— Pour parvenir à neutraliser des adolescents en pleine santé, ils devaient être deux. Peut-être que l'un prenait son pied à les violer et l'autre à les torturer. Peut-être les maintenaient-ils en vie assez longtemps pour que chacun puisse en profiter. Ou alors, ils aimaient regarder mourir leurs victimes.

— Tu es certaine de ce que tu avances ?

— Pas à cent pour cent mais presque.

— Sur quoi bases-tu ton raisonnement ?

— Une sensation impalpable sur les tombes. Il est possible que ce soit le fruit de mon imagination.

— Donc... revenons à Chuck. Tom l'a obligé à participer.

— Justement, non. Les animaux étaient morts assez récemment. Mais les disparitions s'étalent sur cinq ans, n'est-ce pas ? Plus ou moins. Les bêtes étaient

212

enterrées là depuis un an tout au plus. Les étés sont chauds, ici, les insectes pullulent.

— Conclusion ?

— Chuck n'était pas l'assistant de Tom. C'était quelqu'un d'autre, un individu qui court dans la nature.

Tolliver me dévisagea, impassible. Impossible de déchiffrer ses pensées.

— Quoi ? demandai-je.

— Je réfléchis.

Il mit le moteur en marche et je m'en réjouis car je commençais à peler de froid.

— Que faire ? soupira-t-il enfin.

— Aucune idée. Pour commencer, j'aimerais faire un saut auprès de Manfred pour lui annoncer que sa grand-mère est décédée de causes naturelles. Encore qu'une personne était à son chevet, qui n'a rien fait pour la sauver.

— Hein ?

— Quelqu'un était là. Remarque, appeler au secours n'aurait sans doute servi à rien mais... J'en ai des frissons. Elle était consciente qu'on l'observait.

— On ne lui a pas fait de mal mais on n'est pas intervenu non plus pour la soulager ?

— Non.

— Manfred ?

Pourquoi pas ? Ce n'était pas idiot. Manfred ne savait pas forcément que Xylda rendait son dernier soupir.

— Non, grommelai-je à contrecœur. Non, ce n'était pas Manfred. En tout cas, si c'était lui, elle n'a pas reconnu son propre petit-fils. Or en me connectant avec elle à la morgue, j'ai eu la sensation qu'elle était encore lucide.

Tolliver me déposa à l'hôpital pendant qu'il allait faire le plein d'essence. Je longeai les corridors comme si j'étais une employée de la maison et trouvai Manfred tout seul dans sa chambre. M'efforçant de masquer mon soulagement – Rain était charmante mais un peu pénible – je m'avançai jusqu'à son chevet et lui effleurai le bras. Il ouvrit brusquement les yeux et je crus qu'il allait pousser un cri.

— Dieu soit loué, c'est toi !... Qu'as-tu découvert ?

— Ta grand-mère est décédée de causes naturelles. Euh... te rappelles-tu t'être tenu sur le seuil de la pièce et l'avoir observée un moment ?

— Non. Je m'asseyais toujours tout près d'elle. Pourquoi ?

— À l'instant où elle a rendu l'âme quelqu'un la contemplait depuis l'entrée de sa chambre.

— Elle a eu peur ?

— Elle a surtout été surprise. Mais ce n'est pas ce qui a provoqué sa mort. Elle était prête à partir.

— Tu en es certaine ?

Manfred était vaguement déstabilisé par cette nouvelle. Moi aussi.

— Absolument.

— Tant mieux, murmura-t-il, soulagé. Merci infiniment, Harper.

Il me prit la main et la serra dans la sienne.

— Ça n'a pas dû être facile pour toi. Je te suis reconnaissant. À présent, elle peut reposer en paix. Inutile de procéder à l'autopsie.

Le fait que Xylda repose en paix n'avait aucun rapport avec le fait que l'on procède ou non à l'autopsie. Je décidai de laisser le sujet mourir de sa belle mort, comme Xylda.

— Écoute-moi, Manfred.

— Je suis tout ouïe.

— Ne reste pas seul ici. Ne reste pas seul à Doraville.

— Le coupable est en prison. L'affaire est close.

— Non. Je ne le crois pas. Je doute fort que l'on te kidnappe au beau milieu de l'hôpital mais si le médecin te libère, ne quitte pas ta mère d'une semelle.

Il comprit que je ne plaisantais pas. Il acquiesça.

Puis l'infirmière surgit en décrétant que c'était l'heure de se lever et de marcher un peu avec elle. Je dus patienter dans le hall.

Barney Simpson s'y dirigeait, une liasse de documents à la main, et je lui emboîtai le pas.

— J'étais persuadée que l'administrateur passait son temps derrière un bureau, commentai-je. Vous êtes partout à la fois.

— Si ma secrétaire était là, j'y serais du matin au soir. Malheureusement, elle est en congé. L'un de ses petits-fils figurait parmi les disparus. Ils ne vont pas pouvoir l'enterrer avant un certain temps mais il me semblait normal de lui accorder un moment de répit avec sa fille.

— Je suis triste pour toutes ces familles.

— L'une d'entre elles au moins peut se réjouir. Les parents de l'enfant découvert au fond du puits doivent respirer de nouveau.

Il me salua d'un signe de tête et s'engouffra dans un couloir plus étroit flanqué de bureaux. Toute la population de Doraville était affectée par ces crimes.

Avec le recul, je me traitai d'idiote. Qu'est-ce qui m'avait pris de mettre Manfred en garde ? Il était plus âgé. Mais il était menu, attirant et terriblement vulnérable. De surcroît, il était étranger à la ville. Sa disparition pourrait passer inaperçue. C'était ridicule parce que, en toute logique, l'assassin restant – un assassin dont je semblais être la seule à soupçonner l'existence – n'allait pas récidiver dans l'immédiat. Tout le monde était aux aguets, tout le monde se méfiait. Enfin, ils l'avaient été jusqu'à maintenant. Désormais, le loup-garou était derrière les barreaux, son fils tourmenté était mort et la dernière victime se remettait de son traumatisme en toute sécurité. Une fin heureuse pour presque tous. De l'avis général, le pauvre Chuck s'était sacrifié parce qu'il ne supportait plus le poids de sa culpabilité.

Si Chuck avait survécu, je n'aurais pas misé sur son avenir. Car le partenaire de son père aurait craint d'être dénoncé, même si Chuck ne connaissait pas son identité. Par conséquent, une personne se frottait les mains.

Doraville était une petite ville peuplée de gens fort sympathiques. Mais il y avait un ver dans la pomme.

Quand Tolliver s'arrêta à ma hauteur, je grimpai dans la voiture. Sans un mot, il me conduisit à la propriété Davey, site de tant de tombes glacées.

Klavin et Stuart s'y trouvaient et pour une fois, je ne fus pas fâchée de les voir. Ils prenaient des mesures et des photos. Nous les observâmes un moment sans les déranger.

Ils étaient occupés, peu enclins à bavarder avec nous. Nous nous ignorâmes poliment. À cette hauteur, le vent était cinglant. J'avais troqué mon blouson matelassé pour un sweat-shirt à capuche. Je la remontai sur ma tête et fourrai les mains dans mes poches. Tolliver m'entoura d'un bras et m'embrassa sur la joue.

Comme pour répondre à un signal, les deux agents du SBI s'approchèrent.

— Avez-vous signé votre déclaration au poste de police ? demanda Klavin.

— Non. Nous le ferons avant de quitter la ville. Nous voulions seulement vous poser une question. Je suppose qu'il faudra un certain temps avant d'obtenir tous les résultats d'analyses ?

— En effet, répliqua Stuart. Que vouliez-vous savoir ? Vous avez droit à une ou deux réponses, vu que c'est vous qui les avez retrouvés.

Un point de vue rafraîchissant mais Klavin n'était pas forcément de son avis.

— Je veux savoir s'ils ont été nourris après leur enlèvement. Peut-être étaient-ils sous sédatifs ? Je veux savoir si on les a maintenus en vie.

Klavin tripotait un minuscule appareil numérique et Stuart avait entrepris de ranger une mystérieuse machine dans le coffre de leur fourgonnette de location. Tous deux se figèrent.

— Pourquoi, mademoiselle Connelly ? s'étonna Stuart dès qu'ils se remirent en mouvement.

— Parce que je pense que ces garçons ont été torturés par plus d'un homme. Parce que, selon moi, Tom Almand ne travaillait pas seul. Il avait un complice qui l'aidait à attirer les proies dans le filet. Plusieurs d'entre eux étaient de solides gaillards. Tom Almand est petit et mince. Se servait-il d'un prétexte quelconque pour gagner leur confiance et les persuader de se mettre dans une situation dont ils ne pouvaient plus s'extirper ? Ou d'un bras droit efficace ?

Les deux agents se consultèrent du regard et je sautai sur l'occasion.

— Vous devez parler. Les habitants de Doraville se croient en sécurité alors qu'ils ne le sont pas.

— Écoutez, mademoiselle Connelly, grogna Stuart. La moitié de l'équipe est en prison. Nous avons leur lieu de massacre, leur site de dépôt. Nous avons leur survivant, sous haute surveillance. Nous avons même leur hangar de secours pour entreposer leurs victimes ou je ne sais quoi d'autre : peut-être l'avaient-ils prévu au cas où ce terrain serait mis en vente ou peut-être se sont-ils rendu compte que la route jusqu'ici était impraticable en hiver. Ils se repliaient alors dans la grange d'Almand. Là-bas, il y a moins de sang, moins de bric-à-brac que dans ce garage.

— Nous voulons attraper cette ordure, Harper, assura Klavin. Vous n'imaginez pas à quel point. Mais il nous semble peu probable qu'il passe à l'acte tout de suite. Comprenez-vous ?

Non, j'étais trop bête.

— Oui, murmurai-je. Je comprends. Et en un sens, je suis d'accord. Ce serait fou de recommencer dans l'immédiat. Mais comprenez-vous ce que *je* vous dis ? Ce type est *fou* !

— Jusqu'à présent, il a réussi à maintenir une façade irréprochable, rétorqua Stuart. Il est assez intelligent et possède un instinct de conservation suffisamment important pour continuer.

— En êtes-vous certains ? Au point de mettre en péril la vie d'un autre innocent ?

— Vous n'avez pas à vous mêler de cette enquête ! tonna Klavin, à bout de nerfs.

— Je sais, je ne suis pas flic. En général, j'arrive dans une ville, je remplis mon contrat et je m'en vais. Cela me convient. Quand je retarde mon départ, les événements dérapent et je suis obligée de rester encore plus longtemps. Nous voulons nous en aller. Mais nous ne voulons pas que quelqu'un d'autre meure. Tant que vous n'aurez pas arrêté le deuxième meurtrier, vous ne dormirez pas tranquilles.

— Comment comptez-vous y remédier ? argua Klavin, pragmatique. En ce qui nous concerne, dès que vous aurez fait votre déposition au poste, vous et votre frère pouvez partir. Nous avons votre numéro de portable et l'adresse de votre domicile.

218

— Tolliver n'est pas mon frère.

S'il pouvait le crier sur les toits, moi aussi.

— Peu importe, marmotta Klavin. Dites donc, Lang, savez-vous que votre père est détenu en Arizona ?

— Non. Aux dernières nouvelles, il était sorti de prison au Texas.

S'ils cherchaient à décontenancer Tolliver, ils s'y prenaient comme des manches.

— Vous n'avez vraiment pas eu de chance question parents, tous les deux.

— En effet.

Mauvaise tactique. Je refusai de mordre à l'appât. Il parut vaguement surpris, voire embarrassé.

— Je ne vous cerne pas, enchaînai-je. Vous pouvez vous montrer parfaitement correct quand vous le décidez. Mais toutes ces conneries sur nos parents, figurez-vous que nous les avons déjà entendues. Nous n'avons pas oublié l'enfer de notre jeunesse.

Il ne s'était pas attendu à ce que je fasse le ménage. De toute évidence, Klavin avait des problèmes perso à régler.

— Allez-y, dit-il sous l'œil circonspect de son coéquipier. Retournez en ville, signez votre déposition. Ensuite, fichez le camp. Cette affaire est trop complexe. La voyante. Vous. Maintenant que vous avez vu Tom Almand armé d'une pelle, je suppose que vous savez qui vous a agressée. Avez-vous l'intention de porter plainte ?

Curieusement, je n'y avais pas songé. Tant d'événements s'étaient succédé depuis cet incident que j'avais rabattu ce problème au bas de ma liste d'énigmes à résoudre. Je m'accordai un instant pour méditer sur le sujet. Théoriquement, j'estimais que Tom devait payer pour son acte de malveillance. Mais comment pouvions-nous prouver que c'était lui ? Nous savions seulement qu'il avait frappé quelqu'un d'autre avec ladite pelle et qu'il avait de bonnes raisons de m'en vouloir : après tout, c'était moi qui avais retrouvé ses victimes. J'avais mis un terme à son jeu favori. Du moins avais-je raisonné ainsi jusqu'au moment où l'on avait ouvert la trappe du puits. Chaque fois que je me remémorais cet instant, je voyais les visages de ces garçons, le premier couvert de sang et mort, le deuxième tout aussi couvert de sang et terrorisé.

Si je portais plainte contre Tom Almand, on me convoquerait pour témoigner à la barre et je n'avais aucun élément concret à fournir au juge.

— Non. Almand a-t-il parlé ?

— Pas un putain de mot, grogna Klavin. Le geste de son fils l'a profondément bouleversé mais il l'a expliqué en prétendant que l'enfant avait toujours été un faible.

— Ce sont les paroles d'un autre.

— Je suis de cet avis, nous avoua Stuart.

Il nous tourna le dos et scruta la parcelle de terrain qui avait rendu une aussi sordide moisson.

— Il restera muet comme une carpe par peur de trébucher et d'exposer son pote.

Je m'interrogeai sur ce qui m'avait poussée à venir jusqu'ici. Il n'y avait pas de spectres, pas d'âmes et il ne restait plus rien des huit dépouilles ensevelies sous cette terre. Il n'y avait que l'air froid, le vent cinglant et ces deux hommes en colère qui avaient passé trop de temps à observer de près les horreurs que les hommes s'infligent les uns les autres.

— Que va devenir le garage ?

Tolliver et Stuart pivotèrent à l'unisson vers la bâtisse.

— Il faudra le démanteler complètement, déclara Klavin. Sinon les chasseurs de souvenirs le déchiquetteront. Les techniciens ont enlevé les taches de sang les plus importantes pour analyses. Quant aux instruments – menottes, fer à marquer, tenailles, sex toys... – tout est au labo.

Tolliver eut une moue de dégoût.

— Comment pouvait-il se regarder dans la glace ?

Tolliver s'exprime très rarement quand nous sommes dans une situation professionnelle comme celleci. Mais les hommes sont encore plus épouvantés par la notion de viol que les femmes.

— Il prenait son pied, ripostai-je. Facile de se regarder dans la glace quand la vie est belle.

— Oui, concéda Stuart, il devait se lever heureux chaque matin. Tom Almand a dupé pratiquement tous les membres de cette communauté pendant des années. Il devait s'en féliciter. Le seul qu'il n'a pas pu tromper, c'est son fils. Ses confrères du centre médico-psychiatrique affirment avoir entretenu d'excellentes relations avec lui ; il était toujours à l'heure, consciencieux envers ses patients, perspicace dans ses diagnostics.

J'étais impressionnée par la quantité d'informations qu'ils avaient réussi à récolter en un délai aussi court. Tom Almand aurait-il éveillé leurs soupçons depuis le début ? Peut-être avaient-ils pris de l'avance en se basant sur un profil.

— Même les amis proches ? insistai-je.

— Il n'en avait pas, apparemment. Il siège depuis six ans à la commission de développement de l'hôpital, de même que Len Thomason et Barney Simpson, ce qui a du sens. Tous trois sont des spécialistes de la santé. Le pasteur, celui qui a dirigé la cérémonie l'autre soir, a été élu l'an dernier. Ils s'efforcent d'obtenir des subventions fédérales et privées, ils organisent des soirées pour rassembler des fonds. Le comté de Knott a vraiment besoin d'un nouvel hôpital comme vous avez pu le constater vous-même.

Toutes les pistes semblaient mener à l'hôpital. Où que j'aille, je finissais toujours devant les portes de cette institution.

— Le garçon a-t-il parlé ?

Je sentais que Stuart et Klavin allaient bientôt refuser de répondre à mes questions, pour le principe.

— Pas encore.

— Vous l'avez mis sous haute protection ?

— Absolument, confirma Klavin. Il ne lui arrivera rien.

— La famille s'est-elle manifestée ?

— Oh, oui. Les parents avaient signalé sa disparition la veille. Nous avons découvert sa voiture au bord de la route à deux kilomètres environ de la maison d'Almand. Il avait un pneu crevé et pas de roue de secours.

— C.Q.F.D. Vu le mauvais temps, il aurait accepté de monter avec n'importe qui.

— Les gosses se croient invincibles, commenta Stuart.

— Vous serait-il possible d'affecter un gardien à Manfred Bernardo ?

— Il est plus âgé que les autres.

— Il est impliqué dans cette affaire.

— C'est un adulte et il est à l'hôpital, entouré de soignants, ronchonna Klavin. Nous avons explosé notre budget.

— Cette conversation fut très intéressante. Merci, messieurs.

— Tu avais deviné qu'ils seraient là ? me demanda Tolliver sur la route de Doraville.

— Pas du tout. Je voulais simplement m'assurer que le site était clean.

— Clean ?

— Plus de cadavres. Que de la terre et des arbres.

Nous roulâmes en silence quelques minutes.

— Tolliver, si l'on devait te condamner pour meurtre dans, disons, les trois, quatre jours à venir – tu ne sais pas précisément quand mais tu en as la certitude – que ferais-tu ?

— Je prendrais mes jambes à mon cou.

— Et si tu n'en étais pas tout à fait sûr ?

— Si j'étais certain que l'on ne me reconnaisse pas lors d'une séance d'identification, par exemple ?

— Oui.

— Si je pensais avoir une chance de m'en sortir, j'essaierais de rester dans les parages. Avec les progrès technologiques, vivre la vie d'un fugitif devient de plus en plus ardu. Les gens se souviennent d'un individu qui paie en espèces. Il faut présenter son permis de conduire en toute circonstance. Difficile de jouer les hommes invisibles aux États-Unis, or pour franchir la frontière, il faut un passeport. Seuls les criminels aguerris y parviennent.

— Je ne pense pas que ce type soit un criminel aguerri. Je pense que nous avons affaire à un amateur enthousiaste.

— Allons-nous-en d'ici, grogna Tolliver.

Il ne se plierait plus à mes désirs.

Nous nous disputions parfois mais maintenant que nous étions plus qu'un manager et son artiste, plus que frère et sœur, plus que des survivants de l'enfer, nos querelles prenaient un tour plus personnel.

Il avait raison. Nous n'avions pas à nous immiscer dans une enquête policière. Dieu sait que les flics étaient nombreux sur ce coup. Cependant, j'étais incapable de chasser de mon esprit l'image de Chuck Almand, mort à treize ans pour avoir voulu me révéler l'horreur de son existence en compagnie d'un père qui torturait des gamins pour passer le temps... Je tentai de me consoler : *Il a réussi. Il t'a attirée sur le lieu du crime ainsi que les autorités, ce qui était son but. À la police de faire son boulot.*

— Bien. Partons.

Les épaules de Tolliver se décontractèrent. Je ne m'étais pas rendu compte à quel point il était tendu.

Il avait raison.

Afin d'éviter la horde des journalistes, nous téléphonâmes au poste pour requérir l'autorisation de passer par-derrière. On nous la refusa.

— Entre les collègues de l'État, ceux de la médecine légale et les adjoints qui font des heures supplémentaires, le parking est plein. Garez-vous devant l'entrée principale, nous vous guetterons.

Nous dûmes nous contenter d'une place au bout de la rue. Nous fonçâmes au pas de charge, le regard droit devant nous. Par chance, nous avions presque atteint notre destination quand on nous reconnut. Les questions fusèrent, auxquelles je refusai de répondre. Je priai pour que ce soit notre dernière visite. L'adjoint Rob Tidmarsh nous attendait. Il nous escorta jusqu'à la salle d'interrogatoire où nous avions mariné pendant plusieurs heures. Un jeune homme était assis à la table, un ordinateur portable devant lui, prêt à nous écouter. Nous lui racontâmes par le menu les événements, il imprima le compte rendu et nous le signâmes. La séance dura une bonne heure et demie, deux fois plus que notre estimation, et nous vîmes passer Sandra Rockwell au moins six fois. Toutefois, elle n'éprouva pas le besoin de nous saluer.

Elle devait être débordée. Dans une affaire comme celle-ci, il fallait collecter et trier des millions d'éléments. Pour rien au monde je n'aurais voulu être à sa place. Sans compter qu'elle était assaillie par tous ces étrangers qui lui coupaient l'herbe sous le pied devant ses propres employés… Normal que Rockwell n'ait pas une minute à nous consacrer. Elle avait d'autres chats à fouetter que de caresser l'ego d'une jeune femme qui avait fait son boulot et reçu un chèque en échange.

Oui, décidément, le moment était venu de s'éclipser. Jamais je n'étais restée aussi longtemps dans un endroit – en tout cas, j'avais l'impression d'être là depuis une éternité. Et jamais je n'avais découvert autant de cadavres d'un seul coup. C'était une première pour nous tous.

J'aurais pourtant volontiers cuisiné quelques personnes. J'avais la conviction que le deuxième assassin poursuivait ses activités, mine de rien. Mais comment le démasquer ? Ce n'était pas mon métier. L'espace d'un instant, je regrettai de ne pas être télépathe. Il m'aurait suffi de lire dans les pensées d'un individu pour déterminer sa culpabilité ou son innocence.

Il n'en était pas question et je ne souhaiterais pas un don de voyance à mon pire ennemi… pas après avoir vu ce qu'étaient devenus Xylda et Manfred. Mon propre talent est si pointu, si spécifique que son usage en est très limité. À Doraville, j'avais dépassé la limite.

Nous ressortîmes par où nous étions entrés mais les reporters avaient profité de l'occasion pour repérer notre voiture et se répartir tout autour. Tolliver me prit par la taille et nous prîmes notre élan, tel un bull-dozer. J'avais beau avoir une attelle au bras et un bandage autour de la tête, ils rechignèrent à s'écarter. Peut-être les avions-nous un peu trop esquivés : à présent, ils semblaient décidés à nous tomber dessus.

Je distinguai le présentateur d'une chaîne d'information nationale.

— Est-ce la première fois que vous trouvez autant de corps au même endroit ?

Question pertinente.

— Oui. J'espère que c'est la dernière.

D'autres se jetèrent à l'eau. Puisque j'avais répondu à l'un d'entre eux, j'accepterais peut-être de les éclairer.

Mais il commit une erreur gravissime :

— Qu'avez-vous ressenti ?

Ça, je refuse de l'expliquer. Mes sentiments m'appartiennent.

Au bout de quelques secondes de bousculade, nous réussîmes à ouvrir les portières et à nous mettre à l'abri. Tolliver démarra et les requins de la presse daignèrent s'éparpiller.

Heureusement pour nous, ils restèrent dans les parages du poste de police, au cas où le shérif ou les agents du SBI auraient du nouveau. Nous pûmes donc rouler tranquillement jusque chez Twyla. Quand pourrait-elle enfin enterrer dignement son petit-fils ? Ensuite, il y aurait le procès et toute la publicité qui en découlerait. Jeff McGraw ne reposerait pas en paix avant des années, du moins dans le cœur de ses proches.

Tolliver s'immobilisa derrière le véhicule de Twyla. Il laissa le moteur tourner et descendit avec la clé du chalet, sans un mot. Peut-être craignait-il que je change d'avis ?

Une Chevrolet s'arrêta derrière nous. Au bout d'une seconde, on frappa à la vitre. J'appuyai sur le bouton pour la baisser. Le pasteur Doak Garland me contempla, l'incarnation de l'innocence.

— Re-bonjour, mademoiselle Connelly.

— Ah, bonjour ! J'ai oublié de vous féliciter pour votre prestation lors de la cérémonie. J'espère que

226

vous avez récolté une jolie somme pour les funérailles à venir.

— Dieu soit loué, nous avons rassemblé environ douze mille dollars.

— Formidable ! m'exclamai-je, sincèrement émerveillée.

C'était un montant considérable pour une petite ville comme celle-ci. Divisée entre les six garçons, cette somme ne serait pas grand-chose, surtout quand on considère le prix moyen d'un enterrement de nos jours. Mais ce serait une aide précieuse pour les familles.

— Trois des adolescents avaient une assurance obsèques, déclara-t-il comme s'il avait lu dans mes pensées. Par ailleurs, nous allons organiser une tombola qui devrait rapporter trois mille dollars supplémentaires. Twyla a généreusement proposé d'offrir l'équivalent des bénéfices de la loterie.

— En effet, c'est très généreux !

— Twyla est une femme remarquable. Puis-je vous poser une question, par pure curiosité, mademoiselle Connelly ?

— Euh... si vous voulez.

— Je n'ai jamais mis les pieds dans la grange derrière la maison de Tom Almand. Où était ce pauvre garçon ?

— Dans une sorte de... Excusez-moi mais je n'ai pas le droit d'en parler. Désolée, j'ai promis aux flics.

— On entend toutes sortes de rumeurs, comprenez-vous. Je voulais seulement vérifier. Où est votre compagnon ?

— Il revient dans une seconde.

Tout à coup, je me sentis affreusement seule alors que j'étais dans une rue passante. Je sursautai comme si mon portable avait vibré et décrochai.

227

— Allô ? Ah ! Bonjour, shérif. Oui, je suis chez Twyla, en train de bavarder avec le pasteur Garland. Il est à mes côtés. Vous cherchez à le joindre ? Non ? D'accord.

J'adressai un sourire penaud à Garland, qui agita la main et se dirigea vers l'entrée de la maison. Je continuai ma conversation factice jusqu'à ce qu'il eût disparu.

D'un côté, je me sentais complètement idiote ; de l'autre, immensément soulagée de m'être débarrassée de lui. Où était passé Tolliver ? Qu'est-ce qui le retenait ?

Je me tournai dans mon siège et entrepris de détacher ma ceinture. J'étais inquiète. J'avais le net sentiment d'avoir négligé un facteur important.

Le neuvième garçon, celui qui avait survécu.

Je m'arrêtai dans mon élan pour réfléchir. On l'avait identifié. Il était en sécurité à l'hôpital d'Asheville. Il ne raconterait peut-être jamais ce qu'il avait subi. Dans le cas contraire, il dénoncerait le deuxième meurtrier si celui-ci existait.

Et s'il ne l'avait pas vu ? S'il était resté enfermé dans ce puits parce que Tom Almand avait agi seul ? Peut-être était-ce la seule fois où il avait sollicité l'aide de son fils, d'où la réaction de Chuck. Peut-être Tom n'avait-il pas eu l'occasion de partager sa victime avec son partenaire. Le complice avait d'autant plus de chances de s'échapper.

Doak Garland n'était pas impliqué. Il venait de me demander où était enfermé l'enfant. S'il avait été le second assassin, il l'aurait su. S'il avait voulu brouiller les pistes, il se serait tu. Peu importe ce que je pensais. Pourquoi m'aurait-il posé la question s'il était au courant ?

Mais quelqu'un l'était, une personne avec qui j'avais discuté très récemment. Elle avait dit que le garçon était sous le plancher dans un box ou un truc du genre. Qui ? Certainement pas Rain ni Manfred. Encore moins les policiers. Alors qui ? Avec qui avais-je parlé ? La dame du salon funéraire, Cleda Machin. Non, pas elle.

J'étais assise, un pied dehors, quand soudain, un 4 x 4 freina brutalement à ma hauteur. On m'arracha la portière des mains et on me tira violemment hors de l'habitacle. Puis une main énorme s'abattit à l'endroit précis où la pelle m'avait défoncé le crâne quelques jours auparavant et je sombrai dans l'inconscience.

# Chapitre 13

Quand je repris suffisamment conscience pour comprendre ce qui se passait, j'étais dans le 4 x 4, côté passager, la bouche recouverte d'un ruban adhésif et les poignets menottés. Je n'avais rien vu venir. Un véritable blitz.

Au volant, Barney Simpson était sorti de l'allée à reculons et appuyait à fond sur l'accélérateur. Il conduisait comme un maniaque et je glissai à terre quand le véhicule fit une embardée. Je n'avais aucun moyen de me redresser. J'avais atterri sur mon bras blessé et la douleur était effroyable. J'aurais volontiers hurlé mais il avait tout prévu puisqu'il m'avait bâillonnée.

Avoir raison est d'autant plus pénible quand ça vous retombe dessus.

Il s'arrêta au bout de cinq minutes. Je ne pouvais pas bouger, aussi je me concentrai pour rassembler toutes mes forces. Où étions-nous ? Twyla habitait dans un faubourg, probablement l'unique lotissement haut de gamme de Doraville. Après cinq minutes de trajet, nous pouvions être n'importe où : dans le centre-ville ou en rase campagne. Au-delà de la tête de Barney, j'aperçus la glace qui fondait de la branche d'un sapin. En Caroline du Nord, les sapins foisonnent.

Barney me fixa derrière ses grosses lunettes cerclées de noir qui lui grossissaient les yeux.

230

— Tout fonctionnait à la perfection, cracha-t-il. Jusqu'à ce que vous les retrouviez. Je les repérais à l'hôpital ou bien Tom, quand ils faisaient du stop. Nous les abordions et ensuite nous... nous les exploitions.

*Seigneur Jésus !*

— Mutilations, sexe, terreur... Nous les consumions jusqu'à ce qu'ils ne soient plus rien.

Je m'étranglai.

— Nous avions un local de secours – la grange – pour le cas où nous aurions deux garçons en même temps. Une sorte de cellule de détention provisoire. Nous n'avons jamais eu à l'utiliser. Je suppose que Tom n'a pas su résister à la tentation. Il n'aurait jamais dû kidnapper ce gosse.

Bref, j'étais le ver qui avait pourri leur fruit. Sur ce, il redémarra.

— Tom a dû se dire que ce serait le dernier. Les auto-stoppeurs sont une proie idéale.

Je ne pouvais pas rester là sans réagir. Que faire ? Tenter d'ouvrir la portière et me jeter dehors ? Je n'y survivrais pas : nous roulions beaucoup trop vite. Ce serait ma solution d'ultime recours. Je préférais mourir comme ça que subir le sort de ces pauvres adolescents.

Bien. *Courage, ma fille, ne te laisse pas abattre*. Je me répétais ce mantra en boucle mais j'étais trop étourdie et désorientée ; mes muscles refusaient de passer en mode action. D'ailleurs, comment me mettre en position de porter des coups ? Mes jambes étaient libres, peut-être parce que Barney avait manqué de temps pour les ligoter. Ou parce qu'il n'avait pas anticipé mon réveil. Je lançai quelques coups de pied et me tortillai pour m'adosser contre la portière. Naturellement, le 4 x 4 fit une nouvelle embardée et il se mit à crier :

— Je vais vous arracher la peau !

Je compris qu'il était sérieux. Il n'avait plus du tout l'allure d'un directeur d'hôpital. Il ressemblait à ce qu'il était vraiment : un homme sous l'emprise de la folie.

Il voulut me frapper mais il devait surveiller la route en même temps.

J'avais de plus en plus mal, ce qui accroissait ma rage tout en pompant mon énergie et ma volonté. Je me surpris à vouloir protéger mon bras en cours de guérison. Mais quel intérêt de me préserver d'une nouvelle fracture si j'allais bientôt mourir ? Cette pensée raviva ma fureur et ma vigueur.

— Espèce de cinglée ! vociféra-t-il.

*Pas tant que toi, ordure !* J'étais contente d'avoir mis mes chaussures de randonnée.

J'avais supposé que nous arriverions tôt ou tard au centre de Doraville mais il bifurqua brusquement à droite et je me rendis compte que nous étions sur une petite route sinueuse. Nous nous dirigions vers les montagnes. Le pire des scénarios.

Il se pencha vers moi jusqu'à ce que sa main gauche effleure à peine le volant et me gifla. Ma vision se brouilla. Lorsque je la recouvrai, je constatai l'intensité de sa satisfaction. Il aimait infliger la douleur. Et moi, j'étais calmée. À présent, il pouvait conduire en toute tranquillité. J'avais le choix entre l'ignorer et avoir la paix ou recommencer à me battre et en assumer les conséquences. J'en profitai pour me reposer quelques minutes.

Ayant récupéré, je visai son genou. Il perdit légèrement le contrôle de la voiture, se ressaisit, scruta les alentours et se gara. Mauvaise pioche. Il ouvrit sa portière et contourna le 4 x 4 pendant que je m'escrimais à changer de position de manière à lui faire face. Malheureusement, j'échouai et il ouvrit ma portière d'un geste si brusque que je tombai à la renverse. Il m'attrapa par les cheveux pour me relever, tirant sur les agrafes. J'émis un son qui aurait été un cri si j'avais pu ouvrir la bouche. Il me traîna par la chevelure sur le bas-côté encrassé par la glace et la neige fondues. Une pente abrupte menait à la forêt parsemée de plaques blanches. Un peu plus loin, scintillait la surface d'un lac.

Le sol était terriblement glissant. Je voulus m'arracher à son étreinte mais il me gratifia d'un coup de poing magistral dans les côtes.

Aïe ! J'en eus le souffle coupé.

À un moment, je voulus le bousculer dans l'espoir de le renverser. Il trébucha, reprit son équilibre et commença à me tabasser avec ferveur. J'étais à bout de forces. Si je tombais maintenant, il me tuerait. La chance me sourit quand je l'atteignis dans les parties mais en rabaissant la jambe, je dérapai sur la glace et m'écroulai. Je roulai dans l'herbe mouillée jusqu'au bas de la côte.

Il n'était pas mieux équipé que moi pour affronter ce genre de situation. Il l'était même moins car, outre mes chaussures de randonnée, je portais, un blouson chaud et une écharpe alors que lui était en costume et mocassins. Il eut du mal à me rejoindre sans chuter à son tour.

Se mettre debout quand on a les poignets attachés tient de l'exploit mais je réussis enfin et pris mes jambes à mon cou. Je me faufilai entre les buissons sur un terrain boueux – un exercice périlleux mais je devais m'éloigner au plus vite.

Allait-il me poursuivre ?

*Évidemment, idiote !* Je percevais déjà ses pas derrière moi.

233

Il avait complètement perdu la tête. Un avantage pour moi. Le seul.

Remarquez, je ne réfléchissais pas, je me contentais de courir.

Un plan, j'avais besoin d'un plan. La nature était contre moi. Si je traversais les plaques de neige, il lui suffirait de suivre mes traces. Par chance, je repérai plusieurs empreintes de pneus et de semelles un peu plus loin.

Soudain, je perçus une vibration. Instinctivement, je la traquai. Les morts ne pouvaient pas ressusciter pour me protéger mais... pouvaient-ils me cacher ? Je ne sais pas au juste ce qui me passait par la tête sinon que je me sentais à l'aise parmi les morts.

Le ciel s'assombrissait, la visibilité s'amenuisait au fur et à mesure que j'avançais, heurtant les troncs, oscillant d'un pied sur l'autre. Je fonçai vers le cadavre. Si personne ne l'avait trouvé jusque-là, Barney ne me trouverait pas. J'avais le sentiment que son décès était récent mais j'étais si fatiguée. Je continuai à détaler comme un écureuil paniqué.

Le mort était dans un fourré juste devant moi, une parcelle envahie de mauvaises herbes, de ronces et de myrtes. Entouré de conifères, il était jonché de pommes de pin. Je m'accroupis pour en ramasser une poignée.

L'individu qui voulait me tuer n'était pas loin derrière moi mais je ne le voyais pas. En revanche, je l'entendais grogner en repoussant les branchages. Me redressant légèrement, je lançai une pomme de pin puis une autre, aussi fort que possible. Elles atterrirent presque sans bruit sur la terre humide. Barney Simpson n'était pas l'explorateur Daniel Boone. Si Dieu veillait sur moi, il bifurquerait dans cette direction sans hésiter.

234

Je me recroquevillai sur moi-même et m'efforçai de contrôler ma respiration. *Je vous en supplie, mon Dieu, faites que le mort soit un chasseur !*

Dieu dut m'entendre. Ou le destin tournait enfin en ma faveur. Le mort avait un couteau accroché à sa ceinture à moitié pourrie. Sa tenue de camouflage était en lambeaux, maculée de fluides corporels. Certains de ses ossements étaient éparpillés et les bêtes avaient dévoré ses entrailles. Mais Lyle – il s'appelait Lyle Worsham – avait glissé un couteau dans son étui. Le Velcro céda sous mes doigts mais je peinai pour extirper la lame. Elle était rouillée et vérolée mais elle pourrait me servir. Toutefois, ce n'était pas un couteau de chasse : il avait une forme étrange. Je le retournai pour essayer d'entailler le ruban adhésif autour de mes poignets.

Heureusement que j'étais bien couverte. Mes bras auraient été dans un état pitoyable. Mon premier geste fut d'arracher le papier collant de ma bouche. Plus question de me taire.

Bien entendu, je me tapis dans les buissons sans émettre un son. Où était-il ? Allait-il me sauter dessus ? Avait-il abandonné la partie et regagné le 4 x 4 ? Je resterais là le temps qu'il faudrait, aucun problème. J'étais trempée, j'avais froid, j'avais peur mais je serais patiente. J'avais ce vieux Lyle auprès de moi. Lyle avait-il possédé un fusil ? C'eût été logique, non ?

En fait, Lyle était parti à la pêche et non à la chasse. Une mallette de pêche gisait renversée sous deux saisons de feuilles séchées, ainsi que le panier qui avait dû contenir ses prises. Je savais maintenant pourquoi le couteau avait cette forme – il servait à fileter le poisson. Lyle était descendu au bord du lac. La surface de l'eau était-elle gelée ? Les températures avaient légèrement remonté dans l'après-midi et le soleil avait daigné

235

se montrer un moment. Maintenant que le crépuscule tombait, la glace allait redevenir dure. Je frissonnai. Tenter de traverser le lac serait absurde. J'étais une citadine comme Barney Simpson. Lui préférait le sport en chambre, notamment avec de jeunes adolescents ligotés. Que pensait l'ex-Mme Simpson des déviations sexuelles de Barney ?

Mon esprit cessa de vagabonder tandis que me parvenaient des bruits lointains. Barney essayait de se faire discret mais il était imposant et portait des chaussures peu adéquates. La neige crissait sous ses pieds et il soufflait bruyamment. Lyle et moi restâmes très, très silencieux.

*La prochaine fois qu'on m'enlèvera*, me promis-je, *j'emporterai des gants. Et un bonnet.*

— Sortez de là, petite salope !

*Monsieur Simpson, j'ai à me plaindre de la façon dont me traite le personnel.*

— Il n'y a aucune maison dans le coin et personne ne viendra à votre secours.

Il se rapprochait. Et s'il mentait ? Mais oui, pourquoi pas ? Comme il avait menti depuis le début.

Dans ma fuite, j'avais vaguement aperçu un ou deux chalets autour du point d'eau. Lointains mais atteignables. J'étais à peu près sûre de la direction à emprunter.

Je devais être tout près de la rive sud du lac de Pine Landing. En marchant le long du bord vers le nord-ouest, je les retrouverais. Si seulement je pouvais rejoindre la route, je me déplacerais plus vite et plus facilement.

Barney était à la lisière du fourré. Je me mordis la lèvre pour ne pas laisser échapper un cri. Dans ma main droite, je serrais le couteau.

*Du calme. Du calme. Ne dis rien.*

236

Puis il s'éloigna.

Plus vite il ferait nuit, mieux je me porterais.

Barney était pressé. Pas moi.

*Lyle, toi et moi pouvons patienter indéfiniment, n'est-ce pas ?*

Soudain, il poussa un rugissement et bondit en avant mais il se trompait de cible et comme je n'avais pas bronché, tout allait bien pour moi. L'os de mon bras n'était plus fêlé mais fracturé grâce aux coups que j'avais essuyés sur le bas-côté de la route, ma blessure à la tête saignait et j'avais la migraine mais tout allait bien. Le hic, c'est que je risquais d'être congelée sur place si je demeurais dans cette position. J'éprouvai le besoin de m'étirer, de me dégourdir les jambes. J'avais trop peur.

Apparemment, il n'était pas armé. Tant mieux. Il aurait pu tirer au hasard et m'atteindre dans les buissons. Non... il ne voulait pas attirer l'attention sur lui. Même au fin fond du Sud rural, les coups de feu intempestifs éveillent la curiosité. Quoique... pour se débarrasser de moi, il prendrait peut-être ce risque.

— C'est grotesque ! s'exclama-t-il, si près que je faillis laisser échapper un cri. Vous devez être folle pour réagir ainsi. Hurlements, coups de pied, morsures... vu votre métier, ce n'est guère étonnant. Je vous emmenais à l'hôpital quand vous avez commencé à piquer une crise, voilà tout. Votre agressivité m'a paniqué, je me suis trompé de chemin. Et maintenant nous sommes au beau milieu des bois en plein hiver et vous refusez de me dire où vous êtes pour que je puisse vous aider.

*Tu parles !*

Barney s'efforçait de bâtir une histoire pour expliquer la situation. Il allait droit dans le mur. Certes, il avait tenu jusque-là, il devait avoir du mal à croire que tout était fini pour lui.

Moi qui avais soupçonné Doak Garland ! Enfin, mieux valait rester sur mes gardes. Ils auraient pu être *trois* !

Je délirais. Le froid et la peur prenaient le dessus. Je me ressaisis juste à temps. J'avais failli rire aux éclats en imaginant toute la population de Doraville complice de mon enlèvement et de mon meurtre. Un vrai roman policier !

C'est alors qu'il se rua sur moi.

# Chapitre 14

Ses grosses mains agrippèrent mes épaules. Désormais, comme tant de jeunes adolescents avant moi, j'étais à sa merci. Sauf que j'avais un couteau à la main. Il me souleva si haut que mes pieds touchaient à peine le sol. Dans la pénombre, j'avais du mal à distinguer les détails mais je voyais sa chemise blanche, sa veste déboutonnée. Je balançai mon bras de toutes mes forces. La lame s'enfonça aisément dans la chair mais ripa sur l'os – une côte, sans doute – et il poussa un hurlement tandis que le sang giclait.

Il me lâcha et je piquai un sprint. Il me rattrapa au bout d'une seconde. Il avait récupéré plus vite que je ne m'y attendais. Il me tacla, me poussant à terre. Je me retournai et, cette fois, je l'atteignis à l'épaule, beaucoup plus profondément. Il rugit, se releva péniblement. Nous étions près du lac et j'aperçus un ou deux panneaux : nous nous trouvions dans une section réservée à la pêche. Je reculai parce que je n'avais pas d'autre solution.

Jusqu'ici, c'était lui qui avait pris la parole.

— Viens me chercher, ordure ! Viens me chercher, violeur !

Sa réponse me stupéfia :

— Ils ont pris leur pied. Ils adoraient ça.

— Mais oui, bien sûr ! Qui n'apprécie pas d'être enchaîné, brûlé et mutilé avant l'amour ?

— Non ! Pas les garçons. Tom. Tom et Chuck.

— Vous n'êtes qu'un malade !

Il se propulsa en avant. Il n'était pourtant pas bête : il avait un emploi intéressant et il y excellait mais ce soir-là, il n'était pas dans son état normal et il se rua sur moi. Je bondis sur le côté, il me dépassa et je le poussai des deux mains – ignorant la douleur qui me transperçait le bras. Il atterrit lourdement, juste au bord de l'eau. Zut ! Raté. J'aurais voulu qu'il chute dans le lac glacé. Cependant, il ne se relevait pas et j'en profitai pour m'enfuir. Je ne cours pas tous les matins depuis des années pour rien.

Je me faufilais entre les arbres en direction du seul chalet habité – le seul qui était éclairé. J'étais presque sûre que c'était celui des Hamilton.

Je crus entendre Barney des dizaines de fois. Je me cachai au moins une fois (peut-être plus) pendant plus de dix minutes sans bouger. J'étais à peine consciente tellement je souffrais. Je n'avais plus la force de raisonner. Je n'avais pas lâché le couteau : je craignais d'en avoir besoin si Simpson me rattrapait. En me remémorant la sensation de la lame qui s'enfonçait dans la chair, je dus m'arrêter pour vomir. Décidément, cette affaire n'était pas comme les autres. Jamais je n'avais eu de telles réactions. Là, ça pouvait s'expliquer mais j'avais vomi devant la grange, aussi.

Je me rendais compte que je perdais la tête. Je la secouai dans l'espoir que mon cerveau se remettrait en place mais le regrettai aussitôt car je fus de nouveau prise de nausées. J'avais un problème. Un problème grave. Je devais absolument me rendre à l'hôpital. Je gloussai.

240

*C'est sûrement Tom qui m'a frappée avec la pelle. Barney m'aurait tuée.*

Je m'étais immobilisée plusieurs minutes, l'esprit ailleurs. Je tendis l'oreille mais n'entendis rien. Cela ne signifiait pas pour autant qu'il ne se passait rien. Je ne faisais plus confiance à mes sens. Cependant, je m'obligeai à bouger car je devais à tout prix m'abriter du froid.

Ce fut le parcours le plus difficile de mon existence. Mais je voyais de la lumière et elle se rapprochait. J'étais encore loin de la route. Je vis passer les phares de quelques voitures.

Enfin j'atteignis le premier chalet. Le bois s'éclaircissait peu à peu jusqu'à la pelouse du chalet. J'ignorais tout : où se trouvait Barney, si j'étais bel et bien au lac de Pine Landing, si Tolliver était à ma recherche. Comment pouvait-il en être autrement ? Et s'il s'imaginait que j'étais partie de mon plein gré ? Nous nous étions chamaillés juste avant. Non, impossible. Il n'accepterait jamais que je le quitte.

J'hésitai, craignant de dévoiler ma présence. J'écoutai de toutes mes oreilles, scrutai de tous mes yeux. Mon cœur battait la chamade et la migraine me taraudait les tempes. Je dus lutter contre une envie quasiment irrésistible de m'allonger sur le sol glacé pour me reposer, juste une minute. Je pris quelques inspirations et rassemblai mon courage. La lune n'était pas encore levée.

J'avançai d'un pas, d'un deuxième. Et d'un troisième.

Il ne se passa strictement rien.

J'accélérai, traversant cette étendue de gazon jusqu'à la suivante. Quand je dis « gazon », j'exagère. Ces cabanes étaient des résidences secondaires ou des camps de pêche améliorés : l'entretien du jardin n'était pas une priorité pour les gens qui venaient y passer le week-end. Les parcelles étaient relativement étroites et se fondaient souvent les unes dans les autres. Parfois, elles étaient séparées par une rangée de buissons qui devaient fleurir au printemps. Le terrain était irrégulier, envahi de mauvaises herbes, humide et parsemé d'objets divers : seaux, jouets d'enfants, barques recouvertes d'une bâche et même un portique. Un propriétaire négligent avait laissé ses fauteuils dehors. Je le sais parce que j'ai trébuché dessus.

Jamais je ne m'étais sentie aussi seule.

J'avais l'impression que cet épisode ne se terminerait jamais, que je me frayerais indéfiniment un chemin sur cette terre inconnue et que la mort me guettait inexorablement au bout de mon périple.

Je fus sidérée de constater que j'avais atteint le chalet des Cotton. Ouf ! J'étais à Pine Landing et la maison d'à côté – éclairée – était celle des Hamilton.

Cependant en frappant à leur porte, je m'exposerais à la lumière. Je risquais de les mettre en danger. J'avais beau supputer que Barney Simpson était en route pour le Mexique ou le Canada à bord de son 4 x 4, rien n'était moins sûr.

Je planifiai soigneusement la prochaine étape. J'allais courir jusqu'au chalet des Cotton, remonter la pente jusqu'à l'allée des Hamilton, gravir les marches de leur véranda et *boum ! boum ! boum !* Ted m'ouvrirait, me ferait entrer. Il n'en aurait pas forcément envie car j'étais dans un état pitoyable et que mon apparition ne pouvait qu'être synonyme de soucis, mais j'étais persuadée qu'il me céderait le passage.

Je me ressaisis. À l'instant précis où j'émergeais de l'ombre, une silhouette passa entre le bâtiment et moi. La forme était davantage celle d'un ours que d'un être humain mais au bout d'une seconde, j'eus la certitude

242

qu'il s'agissait de Barney Simpson – pas l'aimable administrateur de l'hôpital mais le monstre qui vivait en lui. Il boitait, les épaules voûtées. Je regrettai de ne pas l'avoir blessé suffisamment pour l'immobiliser. Il était d'autant plus dangereux qu'il souffrait.

Il s'arrêta pratiquement devant la porte des Hamilton. Le projecteur était braqué sur le sommet de son crâne. Feuilles et brindilles se mêlaient dans ses cheveux. Son costume était maculé de sang, d'humidité et de saleté.

Il tenait à la main un énorme couteau, une sorte de machette. L'avait-il sorti de sa voiture ? Si oui, pourquoi ne s'en était-il pas servi lors de notre bagarre ? Apparemment, il avait été trop sûr de lui. Il n'avait pas songé qu'une arme serait nécessaire parce qu'il était grand et fort.

Très bien. Je patienterais.

Mais Ted Hamilton était aux aguets, comme à son habitude. La porte s'ouvrit et il apparut sur la véranda.

— Monsieur Simpson ? Est-ce vous ?

— Ah ! Monsieur Hamilton ! Je suis navré de vous déranger mais cette jeune femme qui a retrouvé les cadavres, cette Harper Connelly est en pleine crise de démence et elle est dans la nature.

— Oh, mon Dieu ! s'exclama Ted d'un ton qui ne trahissait aucune émotion.

— Vous ne l'avez pas aperçue, par hasard ?

Étais-je la seule à percevoir l'étrangeté de sa voix ? Barney avait du mal à s'exprimer et à se comporter comme un humain.

— Non. Que ferez-vous si vous la rattrapez ?

— Je la conduirai à l'hôpital, bien entendu.

— Avez-vous l'intention de la décapiter d'abord ? Parce que c'est un gros couteau que vous tenez là.

— Non ! Monsieur Hamilton ! Attention !

Je bondis hors de ma cachette tellement j'avais peur que Barney ne s'attaque au vieux couple.

Mais M. Hamilton pointait un fusil sur Barney. Il dominait parfaitement la situation jusqu'à ce que je les surprenne tous les deux.

Barney se précipita vers moi en rugissant et je m'enfuis en direction du bois. Un coup de feu retentit derrière moi.

Et Barney cessa de me poursuivre.

# Chapitre 15

Je stoppai net et me retournai. Barney Simpson gisait dans l'allée si récemment déblayée des débris du sapin. Cette fois, il saignait abondamment de l'épaule.

M. Hamilton s'approcha du haut de l'escalier, Nita sur ses talons. Elle était en survêtement, ses cheveux courts impeccablement coiffés.

— Tu crois que ça va suffire ? demanda-t-elle à son mari.

— Il est cuit, répliqua Ted Hamilton. Dépêche-toi d'appeler la police.

— J'ai un train d'avance sur toi, mon chéri. J'ai appelé en entendant sa voix… Mademoiselle Connelly, si vous entriez ?

— Merci, répondis-je, tremblante.

— Ma pauvre ! Vous êtes dans un état ! Approchez.

Je contournai prudemment Barney Simpson, qui se tenait le haut du bras, le visage blême. Je montai les marches en redoublant de précautions car mes muscles menaçaient de me lâcher. Je fis un léger détour pour éviter de bousculer Ted mais surtout, de passer entre lui et l'homme à terre.

Lorsque je fus devant elle, Nita Hamilton m'examina de bas en haut.

— Venez. Ted, tu n'as pas besoin de moi ?

245

— Non, ma chérie, occupe-toi de la jeune fille.

Je me laissai envelopper par la chaleur. Des meubles en bois d'érable aux carrés en crochet drapés sur les dossiers de leurs fauteuils préférés, des photos encadrées de bébés au coq en porcelaine trônant sur un guéridon, l'intérieur des Hamilton correspondait exactement à ce que j'avais imaginé. Nita jeta une serviette sur la chaise en bois près de l'entrée, sur laquelle ils devaient déposer clés et manteaux en arrivant chez eux. En m'inspectant, je compris que c'était le seul endroit où je pouvais m'asseoir sans salir la maison.

— Vous saignez. Je vais chercher un linge pour vous essuyer. Les secouristes vous soigneront mais ce n'est pas la peine de rester là à dégouliner. En tout cas, moi, je n'y tiendrais pas.

Moi non plus mais pour être franche, à ce moment-là je m'en fichais un peu.

Elle revint deux minutes plus tard avec un gant de toilette propre et une bassine en émail blanc remplie d'eau tiède. Elle entreprit de nettoyer ma figure.

— Ne vous inquiétez pas pour Ted, murmura-t-elle comme s'il abattait quotidiennement des hommes devant chez lui... Il saura le neutraliser.

— Quand les policiers vont-ils arriver ?

— Ils ne vont pas tarder. Votre frère vous a cherchée partout en ville, poursuivit Mme Hamilton, et mon cœur se serra de bonheur. Il nous a téléphoné en nous suppliant de rester aux aguets parce qu'il avait repéré la voiture de Barney Simpson à l'autre bout du lac. Nous étions prêts.

— J'espère que les flics comprendront.

— Je n'en doute pas. Nous avons un bon shérif.

J'en étais moins convaincue que Nita mais au fond, Sandra Rockwell ne représentait rien pour moi.

— Comment se fait-il que vous saigniez de la tête ? s'enquit Nita comme pour s'assurer que je n'avais rien perdu de ma lucidité.

— Il m'a arrachée de ma voiture en me tirant par les cheveux. Les agrafes ont cédé.

Nita parut sincèrement choquée.

— Si Ted apprend ça, il va lui tirer dessus une deuxième fois.

Ce commentaire déclencha chez moi un fou rire qui secoua mon corps de façon fort désagréable.

*Dommage, j'aurais dû le dire à Ted*, songeai-je. À cet instant, un son bizarre nous parvint, un gémissement profond, en provenance de l'entrée. Merde.

En un éclair, Nita se rua sur le verrou – juste à temps. La poignée refusa de tourner et face à ce nouvel obstacle, Barney se jeta contre la porte.

— Sortez de là ! beugla-t-il.

— Il a blessé Ted. Le salaud ! s'écria Nita.

La violence de sa réaction me sidéra. Mais ce n'était qu'un début. Nita ouvrit une armoire, en sortit un fusil et visa la porte.

— C'est avec ça qu'on descend la vermine, expliqua-t-elle devant mon air atterré. S'il entre, il est mort. Je tendrais bien mon autre joue mais il est hors de question que vous tendiez la vôtre.

Barney s'élança de nouveau. Comme j'étais assise juste là, vers la droite, j'entendis le déclic dans le silence de la nuit. Je compris que Barney s'était emparé de l'arme de Ted.

— Écartez-vous ! Écartez-vous, Nita !

La porte était solide mais la balle la traversa, fusa à l'autre extrémité du salon et jusque dans la cuisine. Nita s'était esquivée à temps mais nous étions toutes les deux en état de choc. Je crus qu'elle allait craquer ;

247

au contraire, elle riposta aussitôt et un cri résonna dans la nuit.

— Je vais voir mon mari, annonça Nita.

Ouvrir la porte maintenant ne me paraissait pas la plus sage des décisions mais je compatissais.

— Bien sûr, murmurai-je.

Je levai la main droite, tirai le verrou et tournai la poignée aussi discrètement que possible. Barney était à terre, ensanglanté, et Ted Hamilton, affaissé dans un coin de la véranda, un filet de sang coulant sur son épaule. Il était conscient mais à peine.

— Oh ! chuchota Nita comme si elle assistait à la fin du monde.

Elle enjamba Barney pour rejoindre son homme. Elle s'agenouilla auprès de lui et – en femme pragmatique qu'elle était – plaqua la main sur la plaie pour arrêter l'hémorragie. Je parvins enfin à me soustraire à cette scène d'horreur en tombant dans les pommes.

# Chapitre 16

Lorsque je repris connaissance, les choses s'étaient sensiblement arrangées. On m'avait placée sur une civière et j'aurais volontiers parié que j'allais avoir droit à un nouveau séjour à l'hôpital de Doraville.

— Cette ville me porte malheur, grommelai-je.

La secouriste, une jeune femme replète au menton volontaire, me tapota le bras.

— Ne vous inquiétez pas, vous allez vous en sortir.

— M. Hamilton ?

— C'est gentil à vous de prendre de ses nouvelles. Nous avons stoppé l'hémorragie. Lui aussi, il va s'en sortir.

— Barney ?

— Il n'est pas mort mais il va bientôt le regretter.

— Où est mon... Où est Tolliver ?

Je devais *absolument* perdre l'habitude de l'appeler mon frère.

— Grand, brun, maigre ?

— Oui.

— Il attend dehors.

Je souris.

— C'est mignon, elle est heureuse de le voir.

Son coéquipier, un homme d'une cinquantaine d'années, intervint :

— Dépêchons-nous, Grace.

Elle afficha une moue boudeuse et ils me transpor-
tèrent jusqu'à l'ambulance. Tolliver était à côté de moi
et fou de rage.

— Il t'a enlevée dans la voiture ! (Comme si je ne le
savais pas.) Quand je suis sorti, j'ai vu que tu avais disparu et j'ai eu la peur de ma vie.

— Vous pourrez discuter toute la nuit si ça vous
chante. Mais, pour l'heure, il faut emmener cette petite
aux urgences, interrompit le quinquagénaire.

Le trajet fut relativement long et Grace bavarda sans
arrêt jusqu'à notre destination. Elle prit mon pouls,
mesura ma température, examina mon scalp. À en
juger par sa grimace, ce n'était pas joli joli.

— Si je ne m'abuse, vous souffriez d'une fêlure du
cubitus, il y a quelques jours ? Félicitations, vous êtes
promue : l'os est fracturé. Il va falloir faire une radio.

— D'accord.

Nous serions forcés de puiser dans nos économies
pour rembourser nos factures médicales. Ce qui
repoussait d'autant l'acquisition de notre future maison. Mais je n'étais pas d'humeur à me tracasser pour
cela. Je préférais savourer le confort et la chaleur de
l'ambulance.

Je me sentais si bien que je m'assoupis.

Aux urgences, j'eus une sensation de déjà-vu. Je
n'avais pas la même chambre – je crois qu'on l'avait
attribuée à Ted Hamilton. J'étais en face, au bout du
couloir.

La visite de Sandra Rockwell me surprit. Après les
banalités d'usage du genre « Comment allez-vous ? Je
vous souhaite un prompt rétablissement », elle
m'annonça qu'elle voulait me présenter ses excuses.

J'attendis la suite.

— Je savais que votre agresseur était probablement
le tueur. Il n'y avait aucune trace de lui ni de son véhi-

cule. Tom Almand nous a raconté qu'il s'était garé derrière le salon de coiffure *Hair Affaire* et qu'il avait rejoint le motel à pied. Là, il s'est caché derrière la benne à ordures. Il avait l'intention de lacérer vos pneus mais vous êtes sortie à ce moment-là et il s'était muni d'une pelle, au cas où.

J'essayai de me rappeler où était situé *Hair Affaire* puis me ravisai. Quelle importance ?

— Comment va-t-il ?

— Tom ? Il parle, il parle. Mais il refuse de mentionner son fils.

— Barney le fera peut-être.

Là encore, quelle importance ? Chuck Almand était mort. Les confessions ne le ressusciteraient pas.

Tolliver fit irruption dans la pièce. Il était descendu à la cafétéria prendre un petit déjeuner. Il m'avait apporté du café et bien qu'ignorant si c'était autorisé ou non, j'étais fermement décidée à le boire. Il se pencha pour m'embrasser sans se soucier de ce que pouvait en penser Sandra Rockwell.

Klavin et Stuart arrivèrent à leur tour. Tous deux semblaient épuisés mais ils étaient souriants.

— Ces deux-là vont inspirer les auteurs de thrillers pendant des années, décréta Klavin. Tant qu'ils seront derrière les barreaux, je n'y vois aucun inconvénient.

Stuart lissa ses cheveux déjà lissés.

— Grâce à leurs aveux, nous commençons à rassembler les pièces du puzzle.

Tolliver me prit la main.

Je poussai un soupir.

Ils voulurent m'interroger sur les événements de la veille mais je n'étais pas d'humeur à les renseigner. Au cours de ce séjour à Doraville, je m'étais pliée à de nombreux exercices contre mon gré. C'en était un de plus.

— L'aviez-vous soupçonné ? insista Stuart.

— Oui, avouai-je, à la surprise de tous... surtout de Tolliver. J'étais assise dans la voiture à me remémorer la scène de la grange et tout à coup, je me suis rappelé que Barney Simpson était au courant de l'existence du puits. Il en avait touché deux mots quand je rendais visite à Manfred. J'avais oublié ce détail mais quand Doak Garland m'a posé une question à ce sujet, tout m'est revenu. Clairement, Doak ignorait qu'il y avait une cellule de rétention dans cette grange. L'information n'avait donc pas circulé. Pourtant, Barney savait. D'autre part, nombre de ces garçons avaient été soignés à l'hôpital. Barney m'a avoué que c'était là qu'il en repérait certains.

C'est ce qu'ils voulaient savoir, aussi je m'efforçai de leur relater tout ce que Barney m'avait rapporté concernant leurs méthodes, leur solution de repli dans la grange.

— Naturellement, ils préféraient la propriété Davey, beaucoup plus isolée, dit Stuart. Ils y allaient chacun leur tour sauf de temps en temps le week-end.

J'eus un haut-le-cœur et posai ma tasse de café sur la table roulante. Tolliver me caressa le bras.

— Parfois, les garçons survivaient quatre à cinq jours, à condition de leur apporter de l'eau et de la nourriture, précisa Klavin.

— Ça suffit ! décréta Tolliver. Nous en savons assez comme ça.

— Nous allons donc inculper Barney Simpson pour tentative d'homicide sur votre personne et celle de Ted Hamilton, reprit Klavin après avoir absorbé la réprimande. Toutefois, les meurtres des adolescents lui vaudront déjà plusieurs condamnations à perpétuité. Les charges supplémentaires permettront d'empêcher toute négociation éventuelle.

252

— J'espère que les preuves relevées par l'équipe médico-légale les relieront à ces meurtres et qu'on ne se basera pas uniquement sur leurs aveux.

— Indiscutablement. Nous avons déjà reçu les résultats d'analyses de cheveux : ils sont positifs. Les échantillons d'ADN ne feront que renforcer l'accusation.

Je hochai la tête. Klavin et Stuart allaient manger, respirer et dormir au rythme de cette affaire jusqu'au jugement. Pour moi, elle était close.

— Au fait, comment allez-vous ? s'enquit le shérif, histoire de leur faire remarquer qu'ils ne s'étaient guère intéressés à ma santé.

Tous deux affichèrent un air vaguement penaud. Ce fut Tolliver qui prit la parole.

— Fracture du bras. La plaie à la tête s'est envenimée. Il a fallu la recoudre et rajouter des agrafes. Harper souffre d'hématomes multiples et a failli perdre deux dents. Comme vous pouvez le constater vous-même, elle a un œil au beurre noir. Pour couronner le tout, elle a une infection pulmonaire.

Il oubliait l'ongle cassé.

Tolliver les fixait avec une telle indignation que je m'attendais à ce qu'ils fondent en larmes. Ils inventèrent un prétexte pour nous laisser. À les entendre, je ne serais pas obligée de revenir à Doraville. Du moins pas dans l'immédiat. Tant mieux.

Manfred téléphona mais ce fut Tolliver qui prit l'appareil. J'étais trop épuisée pour lui parler.

La seule visite qui me fit plaisir fut celle de Twyla Cotton. Sa démarche était encore plus lourde que de coutume et son visage était grave.

Elle se planta tout près de moi mais fut incapable de me regarder dans les yeux.

— Ils sont en prison et mon petit-fils est parti pour toujours.

— Oui.

— J'ai eu raison de solliciter vos services. Je ne regrette rien. Il fallait arrêter ces monstres, même s'il était trop tard pour Jeff.

Il était trop tard pour Jeff depuis des mois.

— Ils pourriront en enfer, proclama Twyla avec ferveur. Quant à Jeff, je sais qu'il est au paradis. Mais pour nous qui restons sur terre, c'est dur.

— Oui, murmurai-je, car j'en savais quelque chose. Pour ceux qui restent, c'est toujours douloureux.

— Vous pensez à votre sœur disparue ?

— Oui. Cameron.

— L'ironie du sort...

— Sans doute.

— Je vais prier pour que vous la retrouviez.

Je dévisageai Twyla et me demandai pour la première fois si j'avais vraiment envie de retrouver Cameron, si cela m'apporterait la paix à laquelle j'aspirais. Je portai mon regard sur Tolliver. Il était mécontent. Il estimait que j'étais déjà assez malheureuse comme ça, que Twyla n'avait pas besoin d'en rajouter.

— Merci, Twyla. J'espère... j'espère que votre deuxième petit-fils vous apportera beaucoup de bonheur, soufflai-je.

Elle esquissa l'ombre d'un sourire.

— Oui. Jeff me manque terriblement mais Carson est un bon garçon.

Elle nous quitta peu après car nous n'avions plus rien à nous dire.

— Demain, annonça Tolliver, si tu n'as pas de fièvre, nous partirons.

— Volontiers. Avec un peu de chance, je serai suffisamment rétablie en arrivant à Philadelphie pour ne pas effrayer les clients.

254

— Nous pouvons annuler la mission et rentrer à St. Louis nous reposer quelques semaines.

— Non. Je préfère reprendre le boulot au plus vite. Je fis l'effort de sourire.

— D'ici peu, je serai vraiment en forme, conclus-je.

J'essayai de lui jeter un coup d'œil concupiscent, sans succès : il ravala un éclat de rire. J'enfonçai l'index dans ses côtes et il s'esclaffa.

Ouf ! Nous étions de nouveau en selle.

Avant-goût du tome 4

# Secrets d'outre-tombe

— Allez-y ! me défia la femme aux cheveux blond paille. Faites votre truc.

Elle parlait avec un fort accent du Sud. Avec son nez en bec d'aigle, elle avait le regard brillant d'avidité de quelqu'un qui s'apprête à goûter un mets exotique.

Nous nous tenions dans un pré balayé par le vent, à quelques kilomètres au sud de l'autoroute qui relie Texarkana à Dallas. Une voiture passa à vive allure, la première que je voyais depuis que j'avais suivi le rutilant pick-up Chevrolet Kodiak noir de Lizzie Joyce jusqu'au cimetière Pioneer Rest, à la lisière de la minuscule ville de Clear Creek.

Tout le monde s'était tu et seul le sifflement de l'air râpant la colline troublait le silence.

Le petit cimetière n'était pas clôturé. On l'avait nettoyé mais pas récemment. Il était relativement ancien, c'est-à-dire qu'il avait dû naître à l'époque où le chêne dressé en son centre n'était encore qu'un arbrisseau. Une nuée d'oiseaux gazouillaient dans ses feuillages. Nous étions dans le nord du Texas, il y avait donc de l'herbe, mais, en plein mois de février, elle n'était pas verte. La température atteignait une douzaine de degrés mais le vent était plus froid que je ne l'avais escompté. Je remontai la fermeture Éclair de mon blouson. Je remarquai que Lizzie Joyce n'en portait pas.

Les habitants de la région étaient coriaces et pragmatiques, notamment la blonde trentenaire qui m'avait invitée. Élancée et musclée, son jean était tellement moulant qu'elle avait dû se graisser les jambes pour l'enfiler. Comment faisait-elle pour enfourcher un cheval ? Cependant, ses bottes étaient usées, de même que son chapeau, et, si j'avais bien lu sa boucle de ceinture, elle avait remporté le titre de championne d'équitation western du comté l'année précédente. Lizzie Joyce était une authentique cow-girl.

Par ailleurs, elle avait plus d'argent sur son compte en banque que je n'en gagnerais d'ici la fin de mes jours. Les diamants sur sa main scintillèrent au soleil tandis qu'elle désignait la parcelle de terre dédiée aux morts. Mme Joyce était pressée que le spectacle commence.

J'étais prête. Lizzie me payait une somme conséquente, elle en voulait pour son argent. Elle avait convié ses proches, à savoir son petit ami, sa sœur et son frère, qui aurait préféré être n'importe où plutôt qu'au cimetière Pioneer Rest.

Le mien s'était adossé contre notre véhicule. Tolliver ne bougerait pas : tant que je n'aurais pas accompli ma mission, il ne s'intéresserait à rien d'autre qu'à moi.

Quand je dis « mon frère »... ce n'est pas exact et nous avons une tout autre relation désormais.

Nous avions fait connaissance avec les Joyce pour la première fois ce matin-là. Suivant à la lettre les indications que Lizzie nous avait fournies par mail, nous avions remonté une allée interminable et sinueuse entre de vastes étendues délimitées par des barrières en bois blanches.

La maison était immense et superbe mais sans prétention. Ici, les gens travaillaient dur. La Latino-Américaine qui nous avait ouvert la porte était en pantalon et chemisier plutôt qu'en uniforme et appelait sa patronne « Lizzie » plutôt que « Mme Joyce ». Sur un ranch ou une ferme, tous les jours sont ouvrés et les lieux étaient pratiquement déserts. Alors que la gouvernante nous guidait dans la demeure, j'avais aperçu une Jeep se rapprochant à travers champs.

Lizzie Joyce et sa sœur Kate nous attendaient dans la salle d'armes. Pour elles, ce devait être « le bureau » ou « la salle de séjour », bref, un lieu où les membres d'une famille aisée vivant en pleine nature se réunissent pour regarder la télévision, jouer à des jeux de société ou toute autre activité. Mais pour moi, c'était une salle d'armes. Tous ces fusils et ces animaux empaillés étaient sans doute censés créer une ambiance « pavillon de chasse ». Je suppose que ce décor reflétait les goûts du grand-père Joyce, fondateur de la propriété mais s'il leur avait déplu, ses héritiers auraient pu le changer. Il était décédé depuis un bon moment.

Lizzie Joyce ressemblait aux photos que j'avais vues d'elle mais elle respirait le sérieux et le pragmatisme. C'était une laborieuse. Sa sœur Kate – ou Katie – était une version réduite de son aînée : plus petite, plus jeune, moins aguerrie. Toutefois elle paraissait aussi dure et assurée. Peut-être est-ce le résultat d'une existence passée dans l'opulence.

Des portes-fenêtres s'ouvraient sur une large terrasse en brique. Au printemps, les urnes déborderaient de fleurs mais il était trop tôt. Les gelées étaient encore fréquentes la nuit. Je constatai que les Joyce avaient laissé leurs chaises berçantes dehors pendant l'hiver et je m'étais imaginée assise là par un beau matin d'été à boire mon café en admirant le paysage.

La Jeep s'était immobilisée au pied d'une légère pente menant à la véranda arrière. Deux hommes en étaient descendus.

— Harper, je vous présente le régisseur du Ranch RJ, Chip Moseley. Et voici notre frère, Drexell.

Nous avions tous échangé des poignées de main.

Rude, tanné et sceptique, le régisseur avait les yeux verts et les cheveux châtains. Il semblait aussi pressé que le frère de repartir. S'ils étaient là, c'était uniquement parce que Lizzie y tenait. Chip Moseley l'avait embrassée nonchalamment sur la joue et j'avais compris qu'il était autant son homme que son régisseur. Ce qui risquait de poser un problème.

Drexell, le plus jeune des Joyce, était aussi le plus banal. Avec leur nez en bec d'aigle, Lizzie et Katie dégageaient une certaine flamboyance, mais lui avait un visage rond de poupon. Contrairement à ses sœurs, il avait fui mon regard.

J'avais la désagréable sensation d'avoir croisé ces individus auparavant. L'énorme propriété des Joyce

260

n'étant pas si loin de Texarkana où j'avais grandi, il n'était pas invraisemblable que j'aie connu Chip et Drexell. Cependant, sous aucun prétexte je ne voulais évoquer ma vie d'avant. Je n'ai pas toujours été la jeune femme mystérieuse qui retrouve les cadavres parce qu'elle a été frappée par la foudre dans son adolescence.

— Je suis si contente que vous ayez trouvé le temps de venir! s'était exclamée Lizzie.

— Ma sœur a une fascination pour l'insolite, avait confié Katie à Tolliver.

De toute évidence, il lui plaisait. Tolliver s'était tourné vers moi, l'air amusé.

— Harper est unique en son genre.

— J'espère que Lizzie en aura pour son argent, avait déclaré Chip d'un ton menaçant.

Je l'avais examiné de plus près. Loin de moi l'idée de reluquer le chéri d'une autre, mais il y avait quelque chose en Chip Moseley qui excitait mon talent. Or il était vivant, ce qui en général, entraîne la disqualification.

Mon activité évolue autour des morts.

Depuis que Lizzie Joyce avait découvert un site Internet relatant mes expéditions, elle s'était mis en tête de m'inventer une mission. Elle avait finalement décidé qu'elle voulait savoir de quoi était mort son grand-père, découvert affaissé auprès de sa Jeep à des centaines de mètres du ranch. Richard Joyce avait une blessure à la tête et l'on en avait déduit qu'il avait glissé en montant ou en descendant de son véhicule;

à moins que la Jeep n'ait heurté un rocher et qu'il se soit cogné, mais on n'avait relevé aucune trace d'impact. On avait conclu à un arrêt cardiaque et on l'avait enterré. Depuis, son fils unique et l'épouse de celui-ci avaient péri dans un accident de la route et ses trois petits-enfants avaient hérité de ses biens – à parts inégales. D'après les recherches de Tolliver, Lizzie était désormais responsable de la fortune familiale. Les deux autres possédaient chacun un peu moins d'un tiers – juste assez pour que Lizzie tienne les rênes. Facile de deviner en qui Richard Joyce avait eu confiance.

Avait-il été au courant du penchant de sa petite-fille pour le mysticisme et l'étrange ?

Lizzie la pragmatique en voulait pour son argent, elle n'allait donc pas me conduire directement sur la tombe de son grand-père. Elle ne m'avait d'ailleurs révélé son objectif que lorsque j'étais descendue de ma voiture trente minutes plus tôt. Bien sûr, j'aurais pu errer de stèle en stèle en quête de celle gravée des dates appropriées. Les Joyce n'étaient pas nombreux sous la terre et les cailloux. Mais j'étais décidée à faire durer le plaisir, lui accorder quelques extras car elle avait accepté mon tarif sans sourciller.

Je m'étais déchaussée pour la « lecture », aussi je devais faire attention où je mettais les pieds. Au Texas, l'herbe cache toujours des épines. Je jetai un ultime coup d'œil sur le panorama. Ce petit cimetière aurait aussi bien pu se trouver sur la Lune, tant l'environnement contrastait avec les lotissements surpeuplés et les communes que nous avions traversés lors de notre dernier voyage en Caroline du Nord. Nous avions atterri dans une petite ville paumée mais je n'y avais pas éprouvé une sensation d'isolement comme ici.

Pour le côté positif, il faisait nettement moins froid et nous étions à peu près sûrs qu'il ne neigerait pas. Mes pieds nus souffraient mais mon corps n'était pas transi comme il l'avait été en Caroline du Nord.

Les Joyce étaient enterrés près du chêne. J'aperçus un gros rocher sur la face lisse duquel on avait gravé le nom JOYCE. Je pouvais difficilement ignorer un tel indice. Je m'arrêtai devant la première sépulture bien que ce ne fût pas la bonne. Quelle importance ? Il était temps que je m'y mette. *Sarah, épouse bien-aimée de Paul Joyce*. J'inspirai profondément et m'avançai. La connexion avec les ossements fut immédiate et fulgurante. Sarah attendait comme ils attendent tous – qu'ils soient là depuis des années ou quelques jours seulement, qu'ils aient été inhumés convenablement ou jetés comme des détritus. J'envoyai mon sixième sens dans les profondeurs du sol.

— Une sexagénaire. Rupture d'anévrisme.

J'ouvris les yeux et passai à la tombe suivante.

— Hiram Joyce… Empoisonnement du sang.

Sur la troisième, j'entendis le bourdonnement, l'appel des dépouilles. Je lus l'inscription. Inutile de réinventer la roue.

Il ne s'agissait pas d'un membre de la famille Joyce bien qu'elle fût ensevelie sur la parcelle familiale. Mariah Parish était décédée huit ans et quelques mois auparavant. À l'ombre de l'arbre, les deux hommes s'étaient raidis mais j'étais trop concentrée sur ma tâche pour m'en soucier.

— Oh! murmurai-je, tandis qu'une rafale de vent soulevait mes cheveux courts. Oh! La pauvre chérie!

— Quoi? s'écria Lizzie, perplexe. C'était la gouvernante de mon grand-père. Elle a succombé à une péritonite ou un truc du genre.

— Elle a eu une hémorragie. Elle s'est vidée de son sang après avoir accouché.

Une hypothèse me vint à l'esprit et je pivotai vers Drexell et Chip. Le premier s'était rapproché d'un pas. Le second paraissait stupéfait. Et furieux. Parce que cette information le choquait? Ou parce que je l'avais émise à voix haute? Quoi qu'il en soit, il était trop tard pour Mariah. Je me déplaçai jusqu'à la tombe pour laquelle on m'avait sollicitée. C'était la plus imposante. La femme de Richard Joyce l'y avait précédé de dix ans. Elle s'appelait Cindilynn et elle avait été emportée par un cancer du sein. Je le leur dis et Kate et Lizzie échangèrent un signe de tête. Quant à Richard il était parti huit ans auparavant, peu après sa gouvernante.

Il me fallut plusieurs secondes pour comprendre qu'il avait arrêté la Jeep et en était descendu parce qu'il avait aperçu quelqu'un qu'il connaissait.

Impossible de me faire une image de cette personne. Ce n'est pas comme si je regardais un film: je m'immisce à l'intérieur de l'être et l'espace d'un instant, je parviens à déchiffrer ses pensées, ressentir

264

ses émotions durant les dernières minutes de son existence. Me mettant à la place de Richard Joyce, je coupai le contact de la Jeep et en sortis. Puis, tout à coup, un serpent à sonnette surgit de nulle part. Ma surprise (celle de Richard Joyce) fut telle que mon (son) cœur s'emballa. *Si chaud pas d'eau peux pas attraper mon téléphone, ô mon Dieu! finir ainsi…* Ensuite, le trou noir. Paupières closes pour mieux visionner la scène, une scène visible uniquement par moi, je relatai l'événement.

Quand je rouvris les yeux, les quatre témoins me dévisageaient comme si je présentais des stigmates. Les gens ont parfois ce genre de réaction, même quand ce sont eux qui me demandent de faire exactement ce que je viens d'exécuter.

Soit je les terrifie, soit je les subjugue (pas forcément d'une manière saine)… ou les deux. Aujourd'hui, le petit ami me fixait comme si je portais une camisole de force et les trois Joyce étaient bouche bée. Tous restèrent muets.

— Maintenant, vous savez tout, achevai-je.

— Vous avez très bien pu l'inventer, riposta Lizzie. Il y avait quelqu'un? Comment est-ce possible? Il était seul. Prétendez-vous qu'on a jeté un serpent à sonnette sur Grand-Pa'? Qu'il en a eu une crise cardiaque et qu'on l'a abandonné sans tenter de le sauver? Et vous dites que Mariah a eu un bébé? Je ne vous ai pas engagée pour raconter des mensonges!

Je l'avoue, cela me mit en colère. Je repris mon souffle. Du coin de l'œil, je vis Tolliver se précipiter vers moi avec une expression d'angoisse. Chip Moseley avait rebroussé chemin jusqu'à la Jeep et s'y était accroché d'une main tout en se pliant en deux. Je me rendis compte qu'il avait mal et j'eus la certitude qu'il m'en voudrait si j'attirais l'attention sur lui.

— J'ai fait ce que vous vouliez, arguai-je. Quand bien même vous exhumeriez votre grand-père, rien de ce que je vous ai dévoilé n'est vérifiable. En revanche, vous pouvez vous renseigner sur Mariah Parish. Il doit y avoir une trace quelconque, un acte de naissance, par exemple.

— En effet, convint Lizzie, plus songeuse que rebutée. Cependant, hormis le fait que nous ignorons ce qui est arrivé au bébé de Mariah, en admettant qu'elle en ait eu un, cela me rend malade que l'on ait pu infliger un pareil supplice à Grand-Pa'. Dans la mesure où vous dites la vérité.

— Croyez-moi, ne me croyez pas. À votre guise. Étiez-vous au courant de son état de santé ?

— Non, il avait horreur des médecins. Mais il avait déjà eu une attaque cérébrale. Et au retour de sa dernière consultation de routine, il paraissait inquiet.

Apparemment, elle y avait souvent repensé depuis le décès de son grand-père.

— Il avait un portable dans la Jeep, c'est bien cela ?

— Oui.

— Il a essayé de s'en emparer.

Certains de nos derniers moments sont plus instructifs que d'autres.

— Tu crois à ces conneries ? intervint Chip, incrédule.

266

Il s'était remis de la douleur qui l'avait saisi et se tenait maintenant aux côtés de Lizzie. Il la contemplait comme s'il ne l'avait jamais vue alors que je savais, d'après nos recherches, qu'il était son chevalier servant depuis six ans.

Lizzie était trop sûre d'elle-même pour se laisser bousculer. Absorbée dans ses pensées, elle sortit une cigarette et l'alluma. Enfin, elle s'adressa à lui:

— Oui.

— Merde! clama Kate Joyce en retirant son chapeau de cow-boy pour le claquer sur sa cuisse. Si ça continue, tu vas solliciter les services de John Edward!

Lizzie lui coula un regard noir.

— Si vous voulez mon avis, elle a tout inventé, décréta Drexell.

Nous avions obtenu une avance de Lizzie. Nous devions nous rendre au Texas de toute façon mais nous ne nous serions jamais arrêtés si nous n'avions pas reçu l'acompte. Curieusement, les riches sont les plus nombreux à revenir sur leurs promesses. Les pauvres tiennent parole. Nous avions donc déjà déposé une partie de la somme sur notre compte, on nous devait le solde et un aveugle aurait confirmé que les Joyce mettaient en doute mon talent. Avant que je ne puisse m'en inquiéter, Lizzie extirpa un chèque plié en deux de sa poche et le tendit à Tolliver, qui s'était rapproché suffisamment pour me tenir par la taille. J'étais fatiguée. L'épisode avait été moins douloureux que certains car la frayeur de Richard Joyce n'avait duré qu'une seconde avant qu'il ne rende l'âme, mais tout contact direct avec les morts me vide complètement.

— Tu veux un bonbon ?

J'opinai. Tolliver me déballa un Werther's Original et me le mit dans la bouche. Un délice de beurre caramélisé.

— Je croyais que c'était votre frère, dit Kate Joyce en inclinant la tête vers Tolliver.

Elle n'avait pas trente ans mais son attitude et son élocution étaient celles d'une femme mûre. Conséquence d'une jeunesse passée dans le Texas des nantis sûrs d'eux ? Ou d'autres sources de stress au sein du foyer Joyce ?

— Il l'est, répondis-je.

— On dirait plutôt votre petit copain, ricana Drexell.

— Je suis son beau-frère et son petit copain, Drew, répliqua Tolliver d'un ton aimable. À présent, nous allons reprendre la route. Merci de nous avoir contactés.

Il les salua de loin. Il mesure un peu moins d'un mètre quatre-vingts et il est mince mais il a les épaules carrées.

Je l'aime plus que tout.

Le jet de la douche me réveilla. Nous voyons tant de chambres de motel que parfois, je mets une ou deux secondes avant de me rappeler où nous sommes. C'était le cas ce matin-là.

Le Texas. Après avoir quitté les Joyce, nous avions roulé presque tout l'après-midi jusqu'à cet établissement situé à l'écart de l'autoroute à Garland, aux abords de Dallas. Il ne s'agissait pas d'un voyage d'affaires mais d'une quête personnelle.

En ouvrant les yeux, je me rendis compte à quel point j'étais obsédée par le passé. Chaque fois que nous rendons visite à ma tante et son mari, les mauvais souvenirs refont surface.

Le Texas n'est pas en cause.

Quand je suis près de mes petites sœurs, je me rappelle le taudis de Texarkana dans lequel nous étions entassés, là où Tolliver et moi vivions avec son père, ma mère, son frère, ma sœur et nos deux demi-sœurs encore bébés quand notre univers avait basculé.

L'illusion d'un équilibre que nous, les aînés, avions réussi à maintenir soigneusement fut pulvérisée le jour où Cameron a disparu. Les services sociaux s'en sont mêlés et nous ont enlevé nos cadettes. Tolliver s'est installé chez son frère Mark et moi, j'ai fini dans une famille d'accueil.

Les petites ne se souviennent absolument pas de Cameron. Je leur ai posé la question la dernière fois que nous les avons vues. Elles habitent avec tante Iona et oncle Hank, qui n'apprécient guère nos visites. Pourtant, nous les réitérons ; Mariella et Gracie sont nos sœurs et nous tenons à ce qu'elles n'oublient pas leur famille.

Je me hissai sur un coude pour regarder Tolliver se sécher. Il avait laissé la porte de la salle de bains grande ouverte pour que le miroir ne soit pas embué quand il se raserait.

Nous nous ressemblons vaguement : nous avons tous les deux les cheveux châtains, à peu près de la même longueur, et une silhouette élancée. Lui a les

269

yeux marron, les miens sont bleu-gris. Mais la figure de Tolliver est vérolée par l'acné parce que son père n'a jamais daigné l'envoyer chez un dermatologue durant son adolescence. Son visage est plus étroit et il porte souvent une moustache. Il déteste s'habiller autrement qu'en jean et tee-shirt mais je le préfère en tenue plus élégante et, dans la mesure où je suis « le talent », il est obligé de faire un effort. Tolliver est mon manager, mon consultant, mon principal soutien, mon compagnon et depuis quelques semaines, mon amant.

Il pivota vers moi, sourit, laissa tomber sa serviette.

— Viens ici, murmurai-je.

Il ne se fit pas prier.


— On va courir ? proposai-je dans l'après-midi. Tu pourras reprendre une douche ensuite. Avec moi, histoire d'économiser l'eau.

En un clin d'œil nous fûmes prêts. Tolliver est plus rapide que moi. En général, sur le dernier kilomètre, il pique un sprint, me laissant le suivre à mon rythme. C'est ce qu'il fit ce jour-là.

Nous étions enchantés d'avoir un lieu agréable où nous défouler. Situé au bord de la bretelle menant à l'autoroute, notre motel était flanqué d'autres hôtels, restaurants, stations-service et commerces destinés aux voyageurs. Cependant, à l'arrière s'étendait un de ces « parcs d'affaires » : deux larges rues en courbe plantées d'arbustes et de bâtiments d'un seul étage, chacun muni d'une aire de stationnement. Une bande médiane les divisait, suffisamment large pour accueillir une plantation de lilas des Indes. Il y avait aussi des trottoirs. Nous étions en fin d'après-midi un vendredi, la circulation était donc réduite au minimum entre ces rangées d'édifices rectangulaires sans âme. Chaque bloc de béton était séparé de son voisin par une allée menant au parking des employés. Ceux de devant étaient pratiquement déserts : les clients étaient déjà repartis.

Dans un endroit comme celui-ci, je m'attendais à tout sauf à tomber sur un cadavre. J'étais obnubilée par une douleur à la jambe droite qui me taraude de temps en temps depuis que la foudre m'a frappée. Du coup, je n'avais pas entendu tout de suite l'appel du corps.

Bien sûr, les morts sont partout. Je ne repère pas que les plus récents. Je sens les anciens aussi et il m'arrive même – rarement – de percevoir le lointain écho d'un être ayant foulé la terre avant l'invention de l'écriture. Mais celui avec lequel je venais d'entrer en contact dans la banlieue de Dallas était *très* frais. Pendant un moment, je fis du surplace.

Je n'en aurais la certitude qu'une fois tout près du corps mais j'avais la nette impression que c'était un suicide par arme à feu. Je parvins enfin à le localiser. Il était au fond de la bâtisse abritant l'entreprise *Ingénierie Design*. J'ignorai son écrasante détresse. Le prendre en pitié ? Il avait eu le droit de choisir. Si je prenais en pitié tous ceux que je rencontrais, je serais constamment en larmes.

Pas question de m'abandonner au désarroi. Je tergiversai. Je l'aurais volontiers laissé où il était. Lundi matin, le premier employé à pénétrer dans les locaux en serait quitte pour un sacré choc si la famille n'avait pas déjà prévenu la police de sa disparition.

C'était un peu dur de ma part mais je n'avais aucune envie de me retrouver face aux flics.

Je commençais à avoir froid. Il était temps de prendre une décision.

Si je ne peux pas m'apitoyer sur tous les morts que je découvre, je tiens à conserver mon humanité.

Je scrutai les alentours en quête d'inspiration. Elle me sauta aux yeux dans les cailloux entourant le parterre devant l'entrée. J'en sélectionnai un gros et le soulevai. Je le soupesai et me dis que je pourrais le lancer d'une seule main. J'inspectai la rue : pas un véhicule, pas un individu en vue. Me positionnant à une distance respectable, je pris mon élan. Je dus récupérer le caillou et répéter mon geste deux fois avant que le verre n'éclate, déclenchant une alarme. Je m'enfuis à toutes jambes. Chapeau bas à la police : à peine avais-je atteint le parking du motel qu'une voiture de patrouille fonçait en direction du parc d'affaires.

Une heure plus tard, je racontai l'incident à Tolliver en me maquillant. J'avais pris une bonne douche et il m'y avait rejointe sous prétexte de m'aider à me laver les cheveux.

J'étais penchée par-dessus le lavabo pour appliquer un trait d'eye-liner sur mes paupières. Je n'ai que

vingt-quatre ans mais ma vision baisse : à la pro-chaine consultation, l'ophtalmologiste va sûrement me prescrire des lunettes. Je ne suis pas une grande coquette mais chaque fois que je m'imagine avec des lunettes, mon estomac se noue. Des lentilles de contact, alors ? Malheureusement, la perspective de me mettre quelque chose dans les yeux me terrifie.

Quant au coût de l'opération, j'en frémis d'avance. Nous mettons tout ce que nous pouvons de côté pour nous acheter une maison dans la région de Dallas. Pour le boulot, Saint Louis serait plus pratique mais en nous installant à Dallas, nous pourrons voir nos sœurs plus souvent. Iona et Hank n'en seront pas enchantés et ils risquent de nous mettre des bâtons dans les roues. Ils ont officiellement adopté les filles. Toutefois, nous espérons les convaincre que le béné-fice serait mutuel.

Tolliver entra dans la salle de bains et marqua une pause pour m'embrasser sur l'épaule. Je lui souris dans la glace.

— Les flics sont au bout de la rue. Tu as une idée de ce qui les amène ?

— À vrai dire, oui, avouai-je.